D0422607

A E
& I

El todo cotidiano

Autores Españoles e Iberoamericanos

Zoé Valdés

El todo cotidiano

Diagonal, 662-664, 08034 Barcelona (España)

Ilustración de interior: © Humberto Castro

Primera edición: septiembre de 2010

Depósito Legal: B. 29.611-2010

ISBN 978-84-08-09479-1

Composición: Víctor Igual, S. L.

Impresión y encuadernación: Cayfosa (Impresia Ibérica)

El papel utilizado para la impresión de este libro es cien por cien libre de cloro y está calificado como **papel ecológico**

A mi hija Attys Luna, quince años más tarde

A Ricardo Vega, por su cine

A mamá, in memóriam

A mis amigos, ellos saben

Il fallait tout faire pour ne pas gagner sa vie. Pour être libre, il faut supporter n'importe quelle humiliation et c'était presque le programme de ma vie... Cependant, comme j'avais décidé de tout accepter, sauf faire ce que je n'aime pas, ça compliquait énormément ma vie... Tout cela a disparu, c'est fichu maintenant.

Aforismo de EMIL CIORAN, a propósito
de sus primeros años en París

La tarea primordial de todo artista es alcanzar la perfección del silencio.

LOUISE BOURGEOIS

«Rue Gît-le-Cœur... Rue Gît-le-Cœur...» chantent tout bas les cloches en exil, et ce sont là méprises de leur langue d'étrangères.

SAINT-JOHN PERSE, *Poème à l'Étrangère*

Sólo tenemos que pensar un poco en cómo las cosas aparentemente más sencillas y los acontecimientos de nuestra vida cotidiana pueden despertar una sensación de misterio insondable: el tiempo, la libertad, la existencia, el espacio, la causa, la consciencia, la materia, el número, el amor, el «Yo», la muerte. Pero... el misterio inherente a lo cotidiano puede escapársenos por completo.

LESZEK KOLAKOWSKI,
Ensayos sobre la vida cotidiana

ALUCINACIONES

París era una rumba, no una fiesta; en tiempos de Hemingway, tal vez lo era, no en los de ella. En tiempos de Yocandra, París era un sueño gelatinoso, con trasfondo de rumba. Ella cerraba los ojos y soñaba con una ciudad inmensa, infinita; entonces deambulaba por sus calles, llenas de monumentos, pedestales con sus estatuas, una gravilla espesa y chisporroteante, palomas y viejecillas que alimentaban a los pichones; se perdía en las estrellas de sus múltiples centros, adonde iban a desembocar las avenidas más hermosas y pululantes del mundo. París era una música, una melodía errante, como la lluvia dentro de sus tímpanos, como una letanía; no cesaba el repiquetear de las gotas en los techos de zinc, el dolor, la alegría, la amargura, noches solitarias, y otra vez la alegría. París se asemejaba además a un bembé. Desengaños, traiciones, amistades laberínticas, jardines en primavera. París se revolcaba entre las sábanas, o permeaba la piel como una nube amelcochada. O resbalaba dentro de la boca, encima de la lengua, como aquel beso jamás olvidado.

París era una muchacha con botines agujereados por la humedad del suelo, siempre la lluvia, el frío, la grisura... Esa joven que arrastraba su abrigo demasiado largo, los guantes encontrados en un latón de basura, la bufanda comprada en un Guerrisolde...

París era una rumba a orillas del Sena, los tambores batá repiqueteaban a lo largo del río, de la ría, agua hembra, con sus muslos moviéndose cubiertos con unas medias finas, con costura detrás, y el fambeco duro dando una cadera espesa, y la exaltación de los hombros, como en *Y Dios creó a la mujer*, idéntico a ese remeneo con desparpajo y, sobre todo, sin ritmo ninguno, de la Bardot. Y el bembé en celebración de Oshún, Changó, Elegguá, Babalú Ayé, Yemayá, Obbatalá, hacía eco, un eco desosegado...

París estaba ahí mismo, sólo tenía que estirar la mano y halar la bufanda por una punta, cuidando de que no se le fuera una hilacha. Iba subiendo por una calle del Marais hacia la torre Saint-Jacques, de súbito doblaba la esquina y caía en una calle habanera, levantaba los ojos para leer el nombre, y siempre se despertaba en el mismo punto... Un sueño recurrente, eso era París.

París era una rumba. Un ángel bajaba por el borde del Sena hacia las Tullerías. Un ángel mulato la piropeaba con descaro, le preguntaba señalándole el sexo: «¿Y tú, por qué andas desnuda? ¡Mira a ver, que sin blúmer se te va a congelar la tota, chiquita!»

Entonces se daba cuenta de que el ángel tenía razón, estaba paseándose enteramente desnuda por París. Y se mandaba a correr, como si huyera de la triste evidencia. A lo lejos podía oír la salación de un guaguancó... La triste certeza: «Ella viene de una isla que quiso construir el paraíso y creó el infierno...» Quince años más tarde, el mundo ha cambiado, pero no la isla.

Ella huyó de Aquella Isla: una isla que quiso construir el paraíso y creó el infierno.

Yocandra consiguió escapar en una balsa que se hizo pedazos antes de llegar a tierra. Aferrada a un madero, encalló en la arena. Se despertó casi achicharrada, los ojos vidriosos, caminó hacia el asfalto, y ahí volvió a caerse, derrumbada desde dentro, desde lo más remoto de ella misma... Lo que vino después fue semejante a lo que han vivido miles de cubanos: la lucha por hacerse un hueco en un país extraño.

Comparado con la mayoría de sus compatriotas, fue relativamente breve el tiempo que se quedó en Miami: solamente un año y un día; el lapso necesario para volver a ser una documentada y poder realizar su sueño.

Su sueño consistía en viajar a Europa, a París o a Venecia. «Una ciudad con palomas», se decía bajito, cansada de las auras tiñosas; anhelaba instalarse en una ciudad romántica, subrayaba hastiada de la chealdad y de la mediocridad cubiche. Con anterioridad, ya ella había vivido cinco años en París, en el *revival* de los ochenta, aunque siempre perseguida y vigilada por los sabuesos de la embajada castrista, que sólo tenían ojos para gente como ella: discretas, envueltas en sus musarañas.

En aquella época habría deseado pedir asilo político, pero prefirió regresar e incorporarse al movimiento pictórico que se estaba desarrollando en La Habana; tenía la sensación que debía hacer cosas desde adentro, probar desde el interior que no estaba de acuerdo con aquella asquerosidad de gobierno e intentar cambiar aquel mundo, su mundo, al menos desde lo que le había tocado del ámbito cultural. Tenía veintiséis años y era poco menos que una comemierda, bastante apática. Ser apática era su forma de ser contestataria. Nunca había hecho declaraciones en contra del exilio, tampoco a favor de la dictadura; se las arreglaba para sortear las asperezas, o las trampas. No deseaba ofender al exilio ni entregarle armas al régimen, ni tampoco gastar balas y que la señalaran demasiado. Pasó como un cero, una nada, como un fantasma, consiguió ser el no ser requerido para que la mierda no la embarrase. Además, tenía allí a su madre, que le rogaba que no desertara, como si ella fuera militar, que ella era lo único que le quedaba en la vida. Volver no fue un error. El error fue creer que podían transformar el país con formas de expresión culturales. Resistió, hasta que no pudo más; la cárcel o el exilio. El exilio.

Se echó al mar; no fue exactamente eso, echarse al mar es un gesto demasiado reflexionado, e incluso elegante. No, se lanzó al agua, como una irresponsable, como una loca, ansiosa de libertad. De libertad, de nada más. No creía que nadie arriesgara su vida por comer más y mejor, por vestir y por aspirar a ser millonario. En cualquier caso, esto último también es válido.

El tiempo que vivió en Miami quiso borrarlo de su mente. Había sido muy hermoso reencontrarse con el Lince, con la Gusana y con otros amigos. Si por ellos fuera, ella se habría quedado allí el resto de sus días. Pero las dictaduras te dejan el alma llena de odio. No le daba miedo esa palabra, «odio». Odio hacia la dictadura castrista, así, con todas sus letras, era lo que sentía.

El Lince, su amigo de tantos años, que también se había largado en una balsa, y que había conseguido instalarse y echar adelante, cada vez se sentía más traicionado por la gente a la que había ayudado.

Yocandra repeló desde el primer día a Miami, y Miami a ella. Tuvo la sensación de que en Miami hacía el doble de calor y de extremismo que en La Habana; que toda aquella gente inteligente que habían sido sus amigos, salvo el Lince y la Gusana —esta última se había divorciado de la Ballena Madrileña y desde hacía años residía también en Miami—, todos los demás se habían vuelto idiotas o gente burda interesada únicamente por la ascendencia social y, una vez allí, se olvidaban de lo que habían pasado en Cuba e, incluso, algunos hasta se volvían más castristas que los propios castristas. No es que a ella no le interesara adquirir una posición acomodada. Pero el mojón de creerse superior a los demás la ponía de muy mal humor, y entonces debía callarse para evitar parecer maleducada o mal ubicada. Aunque sabía que, en cualquier momento, exhalaría un grito de terror y mandaría a todo el mundo a singar por los tejados de Coral Gables. Esos tejados que sólo se pueden restituir con tejas de las que exige el condado, y que cuestan un huevo y dos tetas.

En Miami no tenía nada que hacer, o sí: esperar encerrada en la casa a que alguien la viniera a buscar en automóvil para poder salir a caminar por la única calle transitable para peatones: Lincoln Road. Para quien nació en una ciudad como La Habana, ese estreñido bulevar repleto de gente toda igual daba náuseas, tal parecía que el mismo cirujano facial les modificaba los genes: rubios, inflados los pómulos y los labios de silicona («chiricona» decía la mamá de la Gusana, quien nunca podría ya ponerse al día con las nuevas tecnologías del vocabulario), engrasados u oliendo a la misma marca de bronceador (Coppertone, los cubanos generalizaban la marca para acabar rápido), deslizándose en *rollers,* que son esos patines de ruedas en una sola línea. En fin, a aquel bulevar, por más que Yocandra lo recorriera de cabo a rabo, no le hallaba el más mínimo encanto, nada peculiar que tuviera que ver con un barrio, tal como ella concebía el concepto de barrio.

Soportaba mejor la calle Ocho, hasta que se fue llenando de parquímetros, de nicas, bolivianos, guatemaltecos y, lo peor, cubanos de última generación que transportaban su mierda castrista y, si les daban un tantito así, ponían en cada cuadra un comité.

Por otro lado, jamás pudo empatarse con aprender a manejar; entre el timón y ella no había entendimiento alguno. Comer sí que le parecía requetemortal en Miami, comer se comía de maravilla. Por eso había engordado. Y era la razón por la que el hijoeputa de Caraecaguama se burlaba de ella enviando cartas e e-mails a todo el mundo, criticándola por el culo, las tetas, y añadiendo que parecía un tapón de bañadera, un retaco, y vete a saber cuántos nombretes más. Caraecaguama, el único enemigo antiguo con el que se había encontrado —por cierto, también estaba cebado—, ahora lucía un carón de tapa de inodoro; aunque seguía desculado, canilludo, y embutido de caderas. Caraecaguama, un cubano de última generación, delator, envidioso, ladrón de viejas, jinetero y, para colmo, bambollero; él fue la primera gota del chorro de meado podrido que cayó en los Miamis provenientes del último bastión del ñangarismo, o sea, del castrocomunismo.

No podía culpar a Miami ni a los cubanos exclusivamente. La culpa también era de ella. La eterna inadaptada, así la llamaban sus *ambias* del Hialeah. Terminó por pasársela mejor en Hialeah y en Little Haití, porque lo que no podría soportar jamás era la mierda con lujo de esos apartamentos de cartón piedra de la playa.

Luego estaban las visitas a los amigos prósperos, o que al menos lo aparentaban; siempre echándose con el rayo unos a otros. Si en Cuba el deporte nacional es el chisme, en Miami se la pasaban de una Olimpiada en otra; no paraban de hablar mal de todo el mundo, de criticar por puro entrenamiento y entretenimiento. Después tocaban las salidas a los *molles,* a comprar siempre lo mismo, pero de color o de tamaño diferente; y al final, cuando llegaba el turno de contar el eterno *dream* americano —el de ganarse la lotería—, entonces sí que a Yocandra le entraba la depresión, un Changó con conocimiento. En más de una ocasión estuvo a punto de lanzarse al mar de nuevo y nadar las noventa millas al revés, de regreso.

En cuanto a los políticos, mientras eran más nobles, más la gente los envilecía; y, por el contrario, mientras más viles, más la gente los votaba. De nada vale ser político en un ambiente cubano; los cubanos hemos perdido el sentido de todo, pero de la política, no estaba tan segura de que lo hubieran tenido alguna vez.

El nivel de envidia y de rencor daba al cuello.

No le hagas un favor a un cubano, te lo pagará con una puñalada trapera, o sea, con un informe, cualquiera que éste sea y dirigido a quien sea.

Por otro lado, aquellos amigos contestatarios de los años ochenta y de principios de los noventa habían cambiado enormemente. En la actualidad, la mayoría de ellos se quedaban calladitos ante cualquier fechoría castrista, con tal de volver a la isla de vacaciones y sin problemas, y de este modo especular haciéndose los ricos y restregar la pacotilla por la cara a los familiares.

Incluso uno de ellos se sentía sumamente realizado cuando contaba que en Cuba salía de noche y las jineteras o los pingueros habaneros lo jineteaban. Singar en cubano y pagar por ello le inflamaba al patriota que llevaba dentro; de uno de los viajes regresó más comecandela y comuñanga que los propios hermanos Castro. Y eso que había intentado putear en Santo Domingo, pero argumentaba que no significaba lo mismo que lo jineteara una dominicana o un dominicano a que lo hiciera un compatriota. Le daba más orgullo pagarle a una puta o a un puto cubano que a un extranjero.

Lo peor era observarlos sentaditos uno al lado de otro, apretujados dentro de un sofá de Ikea; apertrechados de cualquier montón de golosinas o chucherías, o con el pan con bistec, o con puerco, en ristre, y la cerveza o la malta, mastica que mastica, mientras iban cambiando de un canal a otro, Óscar Haza o María Elvira, María Elvira u Óscar Haza. El espía que entrevistaba éste tenía a su rival con la otra. Y mientras más castristas eran los entrevistados, más montaba el *reiting*. ¿Para qué iban a esforzarse a invitar a un artista, ni siquiera a un anticastrista, por más gusano que fuera? Ya a ésos la gente se los conocía de memoria. No se extrañaría si un día viera al propio Fidel Castro confesando sus hijoeputás en una de las dos cadenas, y los espectadores hipnotizados como en la plaza de la Revolución, remaldecidos bajo el candente indio, pero ahí siguiéndole la rima por inercia. Mastica que mastica. Nunca había visto a mayor cantidad de gente mover la mandíbula. Y no es que a ella no le gustara la comida, que le encantaba; pero no podía soportar aquellos espectáculos de desidia con abundancia: el todo masificador, cotidiano, goteaba en un líquido grasiento por las comisuras de los labios y caía en una mancha indeleble encima de la pechera de una impecable guayabera almidonada. Milagro que los safaris no se habían puesto otra vez de moda, en Miami, digo; el uniforme de segurosos cubanos, que tal parecía creado expresamente por un célebre modisto francés de origen argelino. No tardará.

Así las cosas, Yocandra llegó a la conclusión de que el problema de los cubanos eran ellos mismos, incluyéndose, desde luego. Se hizo adicta al Prozac, al Sanax, y a una serie de pastillas que darían envidia a Marilyn Monroe, quien se preparaba cada día variados cócteles molotov diluidos en whisky para poder soportar a los Kennedy, a Truman Capote (esa pájara brillante pero inaguantable) y a Hollywood. Y eso que no conoció al Hollywood de ahora, al castrista, a los Sean Penn y compañía... Bueno, igual Marilyn se habría aliado con Bin Laden si hubiera vivido en estos tiempos de tanto fanatismo inocuo.

En los primeros tiempos empezó a trabajar clandestinamente como florista, luego cargó cajas en un almacén de frutas y viandas, después preparó sándwiches Elena Ruz en una célebre cafetería. Fue reuniendo su dinerito para cuando pudiera volver a coger otro medio de transporte que no fuera una balsa ni un auto del año como exigía el protocolo o la comepingá miamense. Entonces se iría bien lejos; así tuviera que convertirse en el hombre de Leonardo da Vinci, pero aprendería a volar con tal de alejarse de toda esa *cubaná* que la tenía ya tan o más obstinada y *asqueá* que en Cuba.

En Miami, no pudo ni escribir una línea. O sí, se compró una agenda donde repetía en ejercicio automático, para nada surrealista, la siguiente frase: «Ella huyó de Aquella Isla que quiso construir el paraíso...» Y ahí se quedaba, no podía continuar, el cerebro hueco, una piedra de hielo resbalando de neurona en neurona. O, por el contrario, se le borraba todo de la cabeza y empezaba a ver pasar boniatos, malangas, mameyes, como un fondo, un cielo estrictamente azul y recalcitrante de sol... Eso era cuando trabajaba cargando cajas en un almacén de frutas y de viandas. Se había vuelto una adicta a los batidos de mamey y a los guarapos. Sí, Miami es una ciudad de adicciones, de las peores.

Por la noche iba al café del Lince, a bailar, a oír música cubana, a beber. En otro café sustituyó el Marlboro por el perico; después lo dejó todo, absolutamente todo. Y se quedaba en casa durmiendo. Eso fue cuando perdió el trabajo de cargadora de cajas de frutas y viandas, la depresión le dio por dormir largas horas. Soñaba con Castro, a diario tenía pesadillas con él. En las pesadillas siempre le halaba la barba, los pelos se le hacían espuma entre los dedos y la Seguridad del Estado corría detrás de ella para meterla en cana. Dormía, dormía, pero no descansaba. Se levantaba muerta de cansancio. Y otra vez soñaba con Castro, despierta; le metía el dedo en el culo, lo olía, le volvía a meter un palito en el culo... Y Castro se reía como si le hicieran cosquillas.

Esa actitud de vagancia le duró poco, sobre todo porque le daba pena que la Gusana trabajara el doble para poder mantenerla a ella también, y que a cada rato estuviera metiéndole rollitos de dinero en la copa del ajustador, y que el Lince estuviera aconsejándola, preocupado por su estado de ánimo, aunque ella intentara impedirlo.

Entonces, al cabo del tiempo, el Lince desapareció, tomó un barco y nunca más supieron de él, se evaporó. A Yocandra no la tomó por sorpresa: el otro llevaba años sopesando esa idea, la de desaparecer.

Consiguió buscar trabajo en una oficina, pero era alérgica al lenguaje burocrático, malformación adquirida en la isla. Y se había jurado, mientras escupía agua salada en la ardiente orilla de Miami, cuando se hallaba entre la vida y la muerte, que si salía de ésa, jamás se dejaría humillar por un jefe en una oficina, y nunca más aplaudiría, ni siquiera se detendría a escuchar un discurso.

—Pues estás muy mal, mamita —le advirtió la Gusana—. Aquí, la mayoría son jefes de oficina, hasta el panadero tiene oficina. Y también se dan discursos, y hay que aplaudir. Esto es casi lo mismo que allá, pero con de todo. Ah, añádele una especie de ilusioncita de libertad.

Era cierto, a esas alturas del partido ya había percibido la triste realidad, pero eso sí que no, secretaria jamás sería, seguro que *nevermore, nevermore...* Poe siempre había sido un consuelo. Buscó colocación en una revista de cine para empatarse con algo cercano a su perfil. En vano, en español no existía nada parecido, ni siquiera existía la revista de cine. En un diario local le brindaron ser correctora, y a ello se dedicó durante una semana, pero le pagaban tan mal que prefería irse a cambiar *pampers* a ancianos enfermos en un asilo, de esos que se llaman *homes*.

Se dijo que jamás escribiría nada, que debía olvidarse de lo que había sido; enterrar el pasado. Entonces pasaba el día oyendo boleros de Ñico Membiela, que en Cuba había sido más o menos famoso, y que había muerto en Miami en la miseria más total. A ella le quedaba el consuelo que también había sido miserable, tanto en La Habana como en Miami. En fin, en Miami menos. Ahí tenía comida, cama, casa, ropa, zapatos, gafas de sol (en Cuba, cuando hay esa resolana, tan pareciera que te han rallado un fósforo en cada pupila, y ni gafas hay); y ahí podía pararse en medio de cualquier calle a mentarle la madre al presidente americano. Pero en cuanto anunciaba que era escritora, o iba a hablarle a alguien del asunto, la gente le huía como la peste.

—A Miami no se viene a escribir. A Miami se viene a doblar el lomo —le explicó la jefa que le enseñó a preparar los sándwiches Elena Ruz y a freír croquetas de pollo.

Era el sueño de su madre: que ella por fin aprendiera a freír croquetas de pollo. Entre escribir una novela de quinientas páginas y freír una tonga de croquetas para una boda o un cumpleaños, su madre prefería lo segundo en un placer orgásmico.

Diálogos de su madre con la vecina:

Diálogo uno:

VECINA: ¿Y a tu hija cómo le va en la Yuma?

MAMÁ DE YOCANDRA [con suma vergüenza y desconsuelo]: Figúrate, no levanta cabeza, ahora se ha metido a escribir un novelón de no sé cuántas malditas páginas.

VECINA: ¡Ay, chica, qué desgracia tan grande, qué barbaridad! [se lleva las manos a la cabeza en señal de desesperación].

Diálogo dos, un tiempo después:

VECINA: Oye y, por fin, ¿a tu hija qué tal le va por la Yuma? [la mujer inquiere temerosa].

MAMÁ DE YOCANDRA [contentísima que no le cabe ni un alpiste en un pliegue de una hemorroide]: ¡Vieja, gracias a Dios, si tú supieras! ¡Te cuento que encontró trabajo en un restaurante, y ya sabe freír croquetas y hacer sopa de pollo!

Suspiro de alivio de ambas, sonrientes.

Yocandra aceptaba sólo jefas, y que no tuvieran que ver con ninguna actividad intelectual; jefes no, y menos aquellos que se creían la divina chancleta envuelta en huevo o la última Coca-Cola del desierto y que la miraban de soslayo en los dos primeros minutos de la entrevista para comprobar que se hallaban frente a una balsera neurótica, a la que a lo mejor podían tomar por unas semanas, humillarla un rato, y mandarla *p'al carajo* cuando menos se lo supusiera.

En cuanto le dieron los documentos de la residencia empezó a hacer los trámites para resolver un salvoconducto que le permitiera viajar a Europa. En Europa no conocía a nadie. Aunque precisamente la experiencia de conocer a tanta gente en Miami la había volcado a ese deseo: el de largarse a un lugar muy remoto, donde lo más cercano que tuviera que ver con Cuba fuera un paquete de tabaco, o aquel tratado llamado de París que le quitó la isla a los españoles y se la regaló a los americanos, sin un solo cubano, ni de intermediario. Menos mal que los americanos se desentendieron de los cubanos en cuanto pudieron; es lo que han hecho hasta ahora, y lo más lúcido para ellos, sin duda alguna.

Lo único que le agradaba de Miami era coleccionar cajitas diminutas, comprarse agenditas en Books and Books e irse a leer libros cubanos en La Mundial del Universo (no podía comprarlos por lo caros que eran, entonces los leía a escondidas, en cada visita un capítulo), y también le gustaba hablar con el dueño de la librería. Nada más. El librero un día le vaticinó:

—Sigue por ese camino, serás una gran escritora.

—¿Por qué? —preguntó ella, asustada más que halagada.

—Todos los grandes escritores han pasado momentos difíciles, tremenda hambre y necesidad.

Que recuerde, ése fue el día más feliz de su vida en Miami. Por el hambre y la necesidad no quedaría.

Un cliente de la librería le obsequió por el día de su cumpleaños *Boarding home*, y por primera se identificaba con una novela escrita en el exilio. ¡El cliente era también escritor y había conocido al autor de la novela: Guillermo Rosales! La segunda vez, el librero le prestó un libro de Juan Abreu, otro escritor del exilio que renegaba de Miami y de los cubanos, y con él se sintió profundamente identificada.

El segundo día más feliz de su vida en Miami fue cuando le dieron el salvoconducto para irse *p'a la pinga* para Francia. Cuando obtuvo la visa, se dijo: «Me voy a la ciudad de Marcel Proust», y abandonó la ciudad que Lydia Cabrera había adoptado como suya.

En cuanto subió al avión de Air France se sintió, aliviada no, liberada. Como cuando se arremangó los vaqueros y se tiró en la balsa para Miami y huyó de Cuba, igualito.

La alegría le duró poco, porque de inmediato el avión se llenó de cubanos obesos en bermudas y tenis, gorritas y todo tipo de indumentaria vacacional. Ella se había vestido de *tailleur* estilo Chanel, imitación, claro. Y calzaba tacones altos, medias de seda. Ansiaba llegar a París haciéndole un homenaje más cercano a Jackie Kennedy, ya que a Maria Callas no sería posible; Yocandra entonaba lamentablemente.

Se le derrumbaron las alas del corazón cuando vio a ese burujón de cubanos gritones, repletos de cartuchos grasientos, sándwiches cubanos comprados en el restaurante del aeropuerto La Carreta, cuyo original había desaparecido de La Habana, como casi todos los originales; sólo quedaban las copias de Miami. «Por suerte París es lo suficientemente grande para perderlos de vista ...», musitó.

A su lado le cayó un cubano chistoso que se pasó nueve horas y media de trayecto contándole los juegos de béisbol de los Marlins y de cómo por un tilín casi llega a ser un gran pelotero, o un genial boxeador; condiciones no le faltaron, por supuesto. Pero el gobierno, la dictadura, rectificó, no se lo había permitido.

Es curioso cómo cada cubano necesita mencionar su historia personal política en privado y, sin embargo, es a lo que menos importancia le dan cuando de la historia colectiva se trata: al lado macabro del tema. Lo pasan por alto como para no comprometerse, necesitan deshacerse de esos hechos que en realidad era lo que más justificaba su estancia en el exilio. Pero, mientras, los chilenos, los argentinos y otros latinoamericanos no sentían ni sienten vergüenza de llamarse exiliados, para los cubanos eso significaba algo tremendamente penoso, y humillante, términos de los que había que zafarse.

Yocandra escuchó atentamente a su vecino de vuelo, incluso participó de la conversación e, inclusive, ella misma fue elocuente. Aceptó un pedazo de tamal, aun cuando la comida de Air France era correcta y tenía buen sabor (aunque un gusto diferente de la comida de Miami, un poco desabrida, eso sí).

No habían pasado dos horas cuando ya el cubano empezó a cortejar a Yocandra, a enamorarla, a bajarle una muela espesa, pero como quien no quería la cosa, así metiéndosela con vaselina. Ella sabía que no valdría de nada quejarse, pero lo hizo. Fidel Raúl, que así se llamaba su vecino de asiento; sí, sus progenitores lo habían jodido para toda la vida llamándolo de esa manera, le aseguró que creía que había esperado el tiempo requerido para declarársele. El resto del viaje empezó ya a caerle a bazucazos y casi besucazos, al duro y sin guante, susurrándole piropos ensalivados en el tímpano.

Estaba divorciado, como cualquier hombre cubano sentado junto a una mujer soltera en un avión que vuela hacia París.

—¿Y el anillo? —preguntó ella mientras indicaba el dedo anular de Fidel Raúl.

—¿Cuál? Ah, éste, es que he engordado, y para quitármelo tendría que cortarme el dedo.

Yocandra sonrió sarcástica.

Iba a París de vacaciones, sus primeras vacaciones después de diez años de intenso trabajo, recalcó. Ella sintió vergüenza de no haber trabajado lo suficiente en Miami; no contó nada o más bien poco de su historia, y musitó que ella también se iba de vacaciones. Intercambiaron direcciones parisinas (la suya era falsa). Él pernoctaría en casa de un primo casado con una francesa, los primeros días, hasta que encontrara un hotel adecuado. Porque los hoteles que le aconsejaba la agencia de viaje que había consultado por Internet, salvo el Crillon, el Ritz y los demás, no sólo eran carísimos, no confiaba en la cantidad de estrellas y la confortabilidad correspondiente que le prometían. Para colmo, la francesa, mujer de su primo, no le acababa de entrar por los ojos. A él todo tenía que entrarle por los ojos.

—Como tú, que te me atornillaste a las niñas de mis ojos desde que estabas registrando la maleta en la aduana —afirmó.

Yocandra no pudo evitar soltar una carcajada.

A las cuatro horas y media de viaje, después de haber disfrutado de una película y de comentarla, quedaron dormidos. La cabeza del hombre se fue recostando poco a poco en el hombro de ella. Yocandra lo dejó. Aceptarlo sería un último acto de generosidad con un cubano. «Vete tú a saber cuándo volveré a encontrarme con otro», pensó.

Menos mal que el viaje duró nueve horas y media; pudo haber durado más, porque había tormenta, turbulencias, viento en contra y una pila de judíos que se pusieron a rezar al final del avión y no dejaban entrar a nadie en el baño, y otro burujón de musulmanes que se pusieron a darle cabezazos al Corán en el otro extremo. Por nada paran el avión en pleno vuelo. Si hubiera durado media hora más, Yocandra se habría comprometido —sólo por pena— con aquel subnormal que nada más pensaba en ganar dinero, casarse con ella, llenarla de hijos, para después tarrearla con otra que encontraría, igual que a ella, en otro avión. Esto último fue un aporte personal a la situación, pensamiento mediante, claro.

—Me fascinaría casarme contigo, tener muchos hijos, nueve o diez —concluyó él, en voz alta, con esos proyectos tan novedosos, muy satisfecho de sus propias ideas.

Yocandra lo escuchaba como si estuviera frente a la peor telenovela de la televisión local. Absolutamente atrapada con la bobería del tema.

A la salida del aeropuerto, Fidel Raúl quiso que compartieran el taxi, pero ella se negó. Entonces lo abrazó súbitamente como para no dejar mal sabor de boca, entró en el automóvil y ordenó al chofer en perfecto francés que arrancara de inmediato. A Fidel Raúl jamás nadie le había dado semejante plantón, ni ella acostumbraba a dar esos desplantes. Pero no le quedó más remedio, dos minutos más, y Yocandra se lanzaba delante de una rastra, no podía soportar su pegostería. Y es que, cuando un cubano se encarna, ni rociándolo con salfumán consigues despegártelo de encima.

EMPIEZA EL SILENCIO...

Dejé la maleta a un lado de la puerta. Era una puerta de calle pequeña y estrecha que daba a la rue Beautreillis y avancé hacia el centro de la sala. Revisé la cocina, subí los peldaños de la escalera de caracol. Sólo había un dormitorio y un baño. Todo pintado de azul, y cuadros regados por doquier. La cama tendida con una sábana negra con motivos africanos en blanco y negro. Ariel Funchal, pintor, vivía allí desde hacía varios años, y nos conocíamos desde la década de los ochenta, cuando surgió aquel movimiento pictórico joven, arrollador y esperanzador, y que culminó en el «exilio de terciopelo» de muchos pintores. ¿Por qué se llamó «exilio de terciopelo»? El término lo había acuñado un poeta cubano que se había mudado a México, quien fue el impulsor teórico de ese movimiento. Los artistas partían con la esperanza de poder realizar su trabajo en el extranjero, fundamentalmente en México, de evitar la política y los incómodos temas chovinistas y de regresar siempre que pudieran a la isla.

Yo había trabajado con todos ellos a mi regreso de la primera estancia en París. Ésta era la segunda, pero ya yo no confiaba en mí como antes.

Funchal se hallaba ahora en un periplo por la India, y me había dejado su apartamento durante un tiempo. Con una llamada telefónica me anunció un hecho inevitable: en el mismo edificio vivían otros cubanos, uno de ellos, también pintor, y a quien también conocía de la misma época: Umber Hinojosa. A los demás no los conocía de nada: un dramaturgo, una maestra, dos curadores de arte, un bailarín que vivía con un brasileiro, una fotógrafa que paraba poco allí, y un cineasta metido hasta los sesos con la fotógrafa. La razón de haberse reunido tantos cubanos en el mismo edificio era la siguiente: el propietario poseía varias galerías de arte en París, y era él quien había invitado a estos pintores, era él quien había pagado para sacarlos de Cuba. Cada vez que se desocupaba un sitio, los pintores hacían todo lo posible para que le hicieran el contrato de alquiler a otro cubano. Entonces hablaban con el Amante de la Madame, así le llamaban al propietario, que tenía un apellido todavía peor.

Somos así. Sólo funcionamos de forma tribal. No contentos con los CDR (Comités de Defensa Revolucionarios), inventados por Castro, necesitamos crear en cada cuadra un comité, aun en el exilio. Me horroricé cuando supe la noticia. Pero me dije que de cualquier modo sólo me quedaría a vivir allí quince días, el tiempo de encontrar un hotel barato y más tarde un apartamento o *studio* a un precio asequible.

El tiempo pasó y no conseguí ni lo uno ni lo otro. Tampoco resolví mis papeles tal como había previsto, y en tres meses ya era una indocumentada. Funchal había regresado de viaje y me había recomendado al propietario como inquilina de un miserable estudio que quedaba en el entresuelo, donde había vivido la hija del señor Ducon —vaya nombre, el del dueño—, y a quien se habían llevado una madrugada en camisa de fuerza completamente arrebatada para el hospital de locos de Sainte-Anne. Los vecinos franceses argumentaban algunos que por culpa del padre, otros que por culpa de los cubanos.

Calculé que, en pocos meses o semanas más, yo correría la misma suerte; el entresuelo era realmente bajo. Tan bajo que en cuanto entraba tenía que doblar el cuello hacia un lado, porque con mi talla de 1,67 no cabía. A veces me sentaba a ver la tele y me olvidaba, me levantaba de un salto y el mameyazo que me daba en el centro del cráneo me noqueaba al momento. Así las cosas, el suelo del saloncito se hundía en el centro, no podía quedarme mucho tiempo parada en el medio, porque entonces los vecinos de abajo empezaban a gritar que un polvillo proveniente de la grieta de donde colgaba la lámpara Louis XV les cubría la cama y les cagaba el edredón forrado en terciopelo color obispo. Y no niego que me asusté, porque ya yo tenía experiencias de un derrumbe que había empezado de forma similar, un polvillo que se desgranaba desde el techo sobre mi yema de huevo en el plato mientras almorzaba en un solar habanaviejero, y ¡cataplún!, todo se vino abajo; pasé dos años viviendo entre el albergue junto al edificio Bacardí y las lunetas del cine Actualidades. Cuando los vecinos franceses me vocearon lo de la boronilla empecé a temer que se repitiera el fátum, y entonces modifiqué la manera de trasladarme dentro de los catorce metros cuadrados; sólo me permitía caminar por los bordes del espacio de la buhardilla.

Rogué a Funchal y a Hinojosa que hicieran todo lo que estuviera en sus manos por evitarme el mal trago de ponerme en contacto con el resto de mis compatriotas, que yo lo que deseaba era pasar inadvertida. Inútil, no fue por chivatonería de mis amigos. Fue culpa de los franceses, que se parecen muchísimo en ese lado promiscuo a los cubanos, y que suelen ser más chivatones que nosotros. Es el origen de las revoluciones: la promiscuidad. Los vecinos franceses corrieron la bola de que en el entresuelo vivía una cubana *un peu bizarre,* un poco rara: yo. Entonces empezaron a usar todo tipo de estrategias para meterse en mi vida.

La primera fue la pianista rusa, pianista clásica, como no podía ser de otra manera en una rusa fugada, de una familia ex ñángara del PECUS. Yo tenía puesto al Benny Moré, no tan alto; pero aquí no es que las paredes sean finas como en Miami, es que el silencio es tan vasto, descomunal, acojonante, que todo, todo, hasta el zumbido de una mosca (si por casualidad aparece una) y el chorrito del orine en el agua del inodoro se oyen, y no es que se oiga, además molesta. La pianista me tocó en la puerta con el pretexto de que debía avisarme de que esa música le desagradaba, que ella era una pianista clásica, ¿eh, *cubana*?... Me llamó «cubana» en tono despectivo. La dejé atiborrarse de mierda, que si Chopin, Brahms y la madre de los tomates.

—¿Qué crees que es lo que escucho, *de la merde*? —pregunté.

—Música del pueblo —respondió con su acento bolo haciendo una mueca de asco.

—Mira, rusa, eso es tan o más clásico que Chopin. —No es que lo creyera, aunque sí, ¿por qué no?, pero tenía que ponerme roja una vez en lugar de amarilla muchas veces—. ¿Has oído hablar del Bárbaro del Ritmo?

Ella negó con la cabeza. Mi tono era firme, y el hecho de llamarla «rusa» la había afectado. Entonces siguió con su perorata de pianista clásica, y de que el ruido no podía soportarse así como así... El ruido, dijo, está penado por la ley en Francia.

—¿Ruido? ¿Tú llamas ruido a esa música? —Ya me puse violenta—. Ruido son los *peos* que se tiran tú y tu marido de noche y yo tengo que sonármelos, con peste y todo.

Era cierto, los pedos de ambos, malolientes a rancio, atravesaban el profundo muro, y por la peste se podía adivinar la clase de queso con la que habían terminado de cenar.

Viró la espalda y se encerró en su apartamento a tocar a Chopin, mientras fingía que lloriqueaba. No tocaba mal, la muy sonsa. Si no fuera porque yo quería seguir oyendo al Benny, habría dejado la puerta abierta para escucharla mejor. Pero entré y puse al Bárbaro del Ritmo a toda mecha. Ella se dedicó a despotricar de mí, a la manera rusa: invitó a los cubanos a un aperitivo con vodka, y ahí les informó de que una cubana barriotera e inculta se había mudado al inmueble. A lo que los otros respondieron como si se estuvieran desayunando con la noticia.

Al día siguiente me tocaron nuevamente a la puerta. Era un señor con cara de conejo.

—Mucho gusto, me llamo Marcel —extendió una mano de pescadito, resbaladiza.

—Encantada...

La nariz se le movió como la de un conejo.

—Soy maestro de cocina, y he olido muy bueno al pasar por delante de su puerta. Huele muy, muy sabroso, exquisito. —Movió el hocico.

Yo estaba ablandando frijoles negros.

—Son frijoles negros, lo que huele es el ají.

—Me gustaría probarlos, deben de ser una maravilla, suculento, ¿no?

Me quedé de piedra, jamás pensé que un maestro de cocina francés deseara probar mis frijoles negros.

—De acuerdo, señor Lapin. —¡Mierda, metí la pata!

—*Non, moi c'est Marcel*—respondió haciéndose el bobo.

—En cuanto estén blanditos, le subo un pozuelo. Gracias, hasta luego.

Cerré la puerta casi en su nariz, que todavía olisqueaba en el aire.

Desde luego que compartí mis frijoles con él, y le rogué que no dijera nada a nadie de mi procedencia.

En vano: le adiviné en la mirada que ya había contado todo. Y me preguntó si sabía algo de los sábados, entonces los ojos se le colorearon de un rojo intenso, como los de los conejos.

Los sábados, los cubanos metían para fetecunes, no sólo invitaban a todo el edificio, también a todo el barrio, y hasta a la alcaldesa del Marais y al alcalde de París, y a la adjunta del alcalde, de origen español, de apellido Hidalgo. Así somos: desgraciadamente sociables.

Mi madre decía que yo no parecía cubana, por lo antisocial que siempre he sido.

Al día siguiente me deslizaron una invitación por debajo de la maldita puerta (estuve a punto de arrancarla de cuajo, para que pudieran pasar y mirar en el interior, como se contempla la habitación de Marcel Proust forrada en corcho en el Museo Carnavalet). La invitación estaba escrita a mano, y el contenido era muy confianzudo: «Anímate y participa de esta fiesta de todos y para el regocijo de todos.»

«Ya empezaron los lemitas», refunfuñé.

Firmado: «El consejo de vecinos.»

Por nada me da un terepe.

Llamé a Funchal.

—No voy a ir, ni se te ocurra venir a buscarme, si vienes te escupo y no te miraré más...

—La fiesta es en tu honor, quieren darte la bienvenida.

—¿Quééé? Pero ¿se volvieron locos?

—Como lo oyes. Compraron un puerco y lo van a asar en el patio. No seas arisca. No te cuesta nada compartir con ellos, bajas en un rato, cenas, bailas, y luego inventas una excusa y te recoges a dormir. Hazlo por mí, mira que no quiero tener problemas con nadie.

—¡Yo soy la que no quiere tener problemas con nadie! ¡Asar un puerco en un patio del Marais, patrimonio de la humanidad! ¡Nos van a botar a todos de aquí! ¡Nos expulsarán, nos deportarán!

—Sí, pero yo fui quien te trajo al edificio. Y ahora todos se quejan conmigo de lo repesadita que eres. No saludas a nadie... —Hizo una mueca—. No, no nos botarán. La policía está invitada también, les encanta el puerco asado. No te hagas la difícil, chica. Son sólo compatriotas, son, en última instancia, hasta buena gente.

—Intento no cruzarme con ellos. ¡No quiero más líos con cubanos!

—¿Y crees que no se han dado cuenta de que los esquivas? ¿Que cuando uno de ellos va a entrar, te quedas silbando en la esquina y mirando para los celajes para evitarlo?

Funchal viró la espalda, bajó la escalera derrotado. Me dio pena por él.

Por fin, aquel sábado bajé. Allí estaban todos, sonrientes, cubanos y franceses, me revisaron de arriba abajo, cosa de cogerme un defecto, una falla, cualquier *mariconá*. Pero yo iba vestida de negro con sandalias negras, era verano; el negro va con todo. Aparte, había cocinado varios flanes, como para veinte personas. Ellos me habían preparado algunas sorpresas, regalitos, discos, tarjetitas, chocolates, botellas de vino. Eso me conmovió.

Los cubanos somos seres muy raros, aparentamos ser hospitalarios. Incluso hacemos regalos a gente que no conocemos de nada. Todo para entrar en confianza.

Cenamos, hablamos de Cuba, de la familia, de la música, del baile. Los franceses nos observaban atontados. Bailamos entre nosotros, nos comunicábamos sólo en español. Nos olvidamos de que vivíamos en Francia. El patio se transformó de repente en un solar habanero, manoteo incluido. Eso tenemos los cubanos, enseguida convertimos todo en secta comunista o en solar habanero, o en ambas cosas.

Los franceses, apartados, empezaron a dar brinquitos; a eso le llaman ellos bailar. Pero, no voy a exagerar, algunos, si se ponen, aprenden rápido, he visto a muchos de ellos de la noche a la mañana volverse tremendos casineros. El baile es como el idioma, se pega fácil si hay cama por el medio, que diría Maria Brown en esa gran película de Fassbinder interpretada por la extraordinaria Hanna Schygulla.

Por cierto, esa noche Hanna Schygulla también estaba en la fiesta: vivía en una casa muy bonita en la calle Charles V, al doblar, e Hinojosa la había invitado. Al poco rato, los cubanos, de confianzudos, le estaban pidiendo insistentemente que recitara un poema (como si ella fuera parienta del mulato Luis Carbonell, *el Acuarelista de la Poesía Antillana*), pero en alemán. La actriz se echó la bufanda al cuello y salió huyendo de nosotros como del diablo.

De no sé qué edificio aledaño llegaron unos vecinos árabes, musulmanes. Se sirvieron arroz, frijoles, plátano, pero nada de puerco. A la maestra se le metió entre ceja y ceja que debían probar el puerco, que el pellejo estaba crujiente, «*croustillante*».

—Yo no entiendo esa religión de ustedes, que les prohíbe el cerdo, tan rico que es, tan bueno para combatir la anemia. Es cierto que tupe un poquitico las arterias, por la grasa, pero nada más... Para todo lo otro es muy recomendable, y afrodisíaco.

Los árabes sonrieron atentos, con un brillo raro, mortífero, en las pupilas.

Yo me quería evaporar. Porque así somos, con nuestro tacto podríamos desatar unas cuantas guerras. Menos mal que nuestra sofisticación la invertimos en los boleros, en las guarachas... El resto ha sido una soberbia metedura de pata tras de otra.

Esa noche, sin embargo, me sentí realizada. Cada vez que un francés me preguntaba a qué me dedicaba y yo respondía: «A ser escritora», era como si vieran a Dios, a Nefertiti, a Buda, a la Virgen. Los cubanos de París habían adoptado la solución siguiente, detrás de mi respuesta, ellos preguntaban:

—¿Y a qué más?

—A qué más, ¿qué?

—¿A qué más te dedicas, además de ser escritora?

—Traduzco, escribo para el cine...

—¿Para el cine? —El Cineasta se me acercó y me entró nostalgia de otro cineasta abandonado en La Habana.

—Bueno, aún no ha salido nada mío en las salas comerciales.

Funchal e Hinojosa se miraron aterrorizados de que el interrogatorio continuara y, por encima de todo, de que degenerara en algo peor. El primero me sacó a bailar. Hinojosa, por su parte, corrió al *atelier,* volvió al patio con una tela enmarcada, con atril y todo, y empezó a dar brochazos negros, sólo para llamar la atención de los cubanos, quienes al momento le pidieron que los retratara. Como si Hinojosa fuera un fotógrafo, que también lo era, pero en ese momento era un pintor.

—La pintura abstracta es demasiado pura para mi gusto —comentó el cubano pareja del brasileño.

Los «curadores y especialistas en la materia» afloraron a puñados y le reviraron los ojos. En arte, cada cubano es un experto potencial.

—¿Qué sabes tú de abstracción? —preguntó el Dramaturgo.

—Será porque se pasa el día entero abstraído, comiendo de lo que pica el pollo —susurró el Cineasta, irónico.

—¿Dónde anda Marcela? —inquirió Funchal para distraer la atención.

La fotógrafa se encontraba de viaje, según informó el Cineasta.

Al rato, sin despedirme, me fui deslizando hacia mi

buhardilla. Y desaparecí aprovechando que la discusión empezaba a prenderse como el mechón de aquella célebre canción.

Funchal me contó al día siguiente que nadie había comprendido nada de esa especie de fuga brutal mía. ¿Por qué me había ido sin decirles hasta mañana, sin un besito, sin un agradecimiento? Él se vio obligado a dar mil explicaciones. Salvo los cubanos, los demás le creyeron. Los cubanos opinaron que yo era una desagradecida y una prepotente.

—Me escapé justo en el momento en que iba a empezar la discusión. No estoy para eso... —comenté a Funchal.

—Ah, sí, tienes razón; cuando se habló de la abstracción... La cosa terminó mal. Hinojosa empezó a lanzar chorros de pintura, y ripió el óleo. Es que somos tan trascendentales, tan intolerantes a veces...

—¿A veces? —Mordí el palito vencedor entre los dientes.

Días más tarde, la maestra le comentó al pintor, muy temprano en la mañana y bajo el chinchín de la lluvia parisina, que yo era bastante rarita, que tenía que verificarme políticamente. ¿Sería exiliada realmente, o una *gusañera*? «*Gusañeros* son aquellos que no son ni gusanos ni compañeros», añadió.

—Es balsera —contestó lacónico Funchal.

—¿Vino remando desde el Malecón hasta el Sena?

—No, Migdalia, vieja, es balsera de Miami.

—Eso no la exonera de nada. Mira que Fidel ha metido mucho espía en las balsas, y Miami está cundido de espías y de artistas raros. En todo caso, no me gusta nada de nada esa mujercita. Demasiado arrogante, y para colmo se viste de negro.

—¿Y eso qué tiene que ver?

—Que a la Caridad no le gusta que la gente se vista de negro. Y, ya sabes, por la Bastilla andan los góticos esos, o los «emocionales», ¡qué sé yo de qué secta!

Funchal siguió camino a su estudio. Ella fue detrás de él, fingiendo interés por su pintura —en realidad, a lo que iba era a fisgonear y a enterarse de lo que estaba pintando, o a quién estaba pintando—, miró por el entresijo y descubrió un desnudo al óleo.

—¿Ésa no es...? Se parece a la hija del embajador cubano. La putica mala esa...

Funchal cerró la puerta. Nadie podía enterarse de que dentro se encontraba la hija de un diplomático castrista modelando encuera a la pelota.

Nublado. París nublado. Siempre está así, el color plomizo es su color preponderante. La primavera y el verano pasaron más rápido de lo previsto. Era final de verano. No salí de vacaciones, no tenía dinero para hoteles ni billetes de avión. Cogí la tarjeta de crédito y me fui al mercado por huevos, mantequilla, leche, pan, jamón, frutas; de regreso a casa iría a premiarme con un suculento desayuno.

Al salir con mi compra, los *clochards* que piden limosna en la puerta del Monoprix de la rue Saint-Antoine me preguntaron si no me había ido de vacaciones («Un pretexto para sacarte algo, seguro», me dije). «No, no he tenido vacaciones», respondí. Muy solícitos, me propusieron si deseaba ir a su casa de campo, desvencijada, subrayaron, pero casa de campo al fin. Les agradecí, pero imposible, debía terminar una traducción. Me quedaría en París. «¿Sin vacaciones?», preguntaron. «Sí, de todos modos, es el fin del verano.» Se compadecieron de mí, aunque ellos también tenían que trabajar, es un decir. Llegaban en auto, que parqueaban en la esquina del supermercado, y se apostaban en ambas entradas con la mano estirada, a pedir dinero; o vendían revistas, o les abrían la puerta a los clientes, siempre a cambio de una moneda: por debajo de un euro ya te miraban mal. A las cinco partían, cumplían con un horario fijo de trabajo: de nueve de la mañana a cinco de la tarde. Y ganaban mejor que cualquier oficinista, me aseguraron, y no pagaban impuestos.

—Por cierto, uno de sus vecinos del 10 rue Beautreillis nos debe una pasta. El bailarín...

—Ah, oiga, lo siento, yo no tengo nada que ver con el asunto... —Pero en seguida me salió la chismosa que toda cubana lleva dentro y quise averiguar—: ¿Y eso? ¿Cómo es eso de que le debe dinero?

—Bueno, usted sabe, yo entro al mercado, me apropio de la mercancía que ya está para pasarse de fecha, o de temporada, en el caso de la ropa, y la vendo más barata aquí, sin moverme de la acera —respondió el mayor de ellos.

—Ah, o sea, que uno de mis vecinos le compra a usted lo que se roba...

—Lo que me apropio —rectificó—. Sí, en efecto, el cubano que es bailarín, el enclenque que anda con el brasileño, ese mismo es mi cliente. Me compró unas medias, unas cervezas, un pomo de habichuelas, una maquinita de afeitar, y prometió que luego me pagaría. Todavía lo estoy esperando... ¿Quiere pasarle el recado?

—No tengo la menor idea de quién me habla usted, se lo juro. —Le solté una moneda de veinte céntimos, contempló asqueado la moneda rutilante bailando en la palma de su mano.

Cambié de acera, me perdí apresuradamente en dirección a casa. O sea, que los cubanos *bisneaban* aquí en París con los *clochards*, que se «apropiaban» —evitó usar el verbo «robar»— de las mercancías a punto de expirar la fecha de consumo, y de la ropa fuera de temporada. ¡Increíble! Los cubanos habían instaurado un sistema de bolsa negra en pleno Marais.

Abrí la pesada puerta de entrada del inmueble y me encontré a una persona metiendo la mano entre las ranuras de los buzones. Cuando me vio, la sacó asustada, aunque los dedos se le quedaron un rato trabados. La había cogido en el brinco, intentaba «apropiarse» de la correspondencia de los inquilinos. Nunca la había visto en el edificio, pero en seguida reconocí a la Sabandija. La Sabandija Cubana.

La Sabandija Cubana un día era un hombre blanco, joven, ojos de un verdor turbio, falsamente educado, ligero en sus juicios, pretencioso hasta más no poder, vestido más mal que bien, de una cierta moda, aunque nada macheaba con nada; pero siempre con ese halo de maldad en la mirada. Al día siguiente podía ser una mujer, gris, ése era su color, el color gris de las ratas, ojos pequeños y huidizos, cuerpo endeble, manos masculinas que apretaban hasta hacer daño cuando estrechaban otras manos.

En ambos, la envidia siempre vibraba a flor de piel. Sentí un escalofrío. La Sabandija Cubiche, ese día, vibraba negativamente con su mejor traje de pájara imprevista. Cuando era hombre era la típica loca envidiosa cubana, cuando era mujer era la consabida tortillera, también cañampúa. Ambos maltratados —según ellos— en la infancia, por sus respectivos padres: él, bastardo; ella, violada. Nunca me creí ninguno de esos traumas.

La Sabandija Cubana dio un paso hacia mí, primero llegaron sus dientes blanditos y amarillentos, después el olor a tabaco barato, y me extendió una mano gélida.

—Hola, debes de ser Yocandra. Soy el amigo de la maestra. También soy cubano—. El tono era entre lo socarrón y lo zoquete.

«También soy cubano», como si el simple hecho de haber nacido en aquella basura de isla le adjudicara un título nobiliario.

Sonreí. Le tendí la mano; la suya era áspera, como de lima, y congelada. Coloqué el paquete en una mano y con la llavecita del correo abrí mi buzón, recogí mi correspondencia.

—¿Buscabas algo en los buzones?

—Sí, un paquete destinado a... a mí —contestó, turbado.

—¿Recibes correspondencia aquí?

—Sí, en casa de Migdalia, la institutriz. Pero no me acuerdo de cuál es su buzón.

—El nombre de cada vecino está grabado encima, bien claro.

—¿Sí? No me fijé. Por cierto, lee esto... Espero que no nos fastidien demasiado con la escandalera; deberíamos hacer una reunión para desalojarlos.

Leí el papel que me entregó. Era un post amarillo, me fijé en que en todas las casillas había uno. La vecina noruega avisaba de que iba a parir en su casa, así que no deberíamos sorprendernos si oíamos gritos y alaridos. Era la segunda vez que paría en la casa. La primera yo no había asistido, aún no era inquilina del inmueble.

La Sabandija hizo una mueca de desprecio y se dirigió hacia la escalera donde vivía Migdalia, la maestra.

Los noruegos eran una pareja con un niño —pronto serían dos— que habían adoptado la *écolo-attitude*, o sea, la actitud ecológica. Tenían ese bebé de dos años —al que ella había dado a luz también en el apartamento— dentro de un pajar, porque todo lo que ellos poseían como mobiliario era estrictamente ecológico. Se vestían a la moda ecológica y por supuesto comían ecológico. Al pequeño, de dos años, le salían dos velas de mocos de la nariz muy ecológicas; un día quise limpiárselas y la madre me dio un manotazo. No, los mocos eran algo natural y había que dejarlos que corrieran por la cara. El niño se pasaba la mano por los mocos y luego por las orejas y la cabeza, y tenía una especie de telaraña babosa que le cubría toda la cara, que le iba de la nariz a los ojos, de los ojos a las orejas, de las orejas al cabello rubio casi blanco.

La hermanita nació ese mismo día —tal como estaba previsto— en que me tropecé con la Sabandija Cubana, también en un pajar. La madre berreó como una chiva, el *nec plus ultra* del ecologismo, me imagino, pujar como una cabra. La niña no lloró, se prendió a la teta de la madre y se durmió. Durante un mes no la bañaron, la sangre se le secó en la frente, hasta que se le hicieron unos postillones grandes que se le caían solos mientras uno hablaba con los padres. La peste a sangre seca no se podía aguantar. Yo respiraba profundo cuando tenía que detenerme a saludarlos, y me mantenía respirando por la boca, por un huequito entreabierto en la comisura de los labios. Cuando bañaron a la niña, y pudo salir de aquel caparazón, se veía muy bonita, al fin pudimos verla en todo su esplendor. Rubita, como su hermano, a quien ya los mocos ecológicos le daban por la rodilla.

Al padre, las uñas de los pies le chirriaban al hacer contacto con el pavimento; en pleno invierno no se podía calzar zapatos cerrados, sólo aquellas chanclas ecológicas de goma natural, señalaba él. El noruego era bastante entretenido.

Tan entretenido que en una ocasión llegó en el auto, lo parqueó, sacó el carrito de las compras y la canasta en la que dormía la recién nacida, puso la canasta en el techo del auto y recogió otras cosas del baúl de automóvil. Eso fue como a las seis de la tarde. Yo estaba en la ventana, y antes de que terminara de descargar sus cosas entré. Alrededor de las ocho de la noche escuché un llantico, como un maullido de un gato. Me asomé a la ventana y observé el auto en el mismo sitio, en el techo todavía se hallaba la canasta con la niña: la que lloraba era ella. Se había hecho de noche, eran ya como las ocho y algo.

Acudí a la ventana que daba al patio.

—¡Gus, Gus! —voceé.

El noruego abrió el balconcillo intrigado; jamás en su vida nadie le había voceado de semejante manera, con tales alaridos de terror.

—¿Y la niña? —pregunté con el tacto correspondiente de una cubana a un noruego.

—Ahí, durmiendo.

—¿Durmiendo dónde?

—En su pesebre.

—¡No, Gus, la niña la ha dejado encima del coche! ¡Desde las seis de la tarde está ahí abajo!

Corrí a la otra ventana a ver si todavía estaba allí. Estaba. La gente pasaba por su lado, la miraban como quien contempla una *performance* en un museo y seguían de largo. Yo no la recogí de inmediato porque aquí hay que tener mucho cuidado con los niños, no vaya a ser que te metan en un lío de pedofilia.

Así y todo, Gus entró a verificar a ver si era verdad que su hija no dormía en el pesebre. Los noruegos hacían bien en no dar crédito a los cubanos.

Entonces bajó la escalera a todo meter y, cuando vio la canasta con la niña, se arrodilló en el suelo a llorar. Los noruegos son muy sentimentales. De hecho, eso hizo que se hicieran amigos míos para toda la vida. No yo de ellos, que desconfiaría el resto de mi existencia de personas que abandonan de esa manera tan inquietante a sus vástagos, sin siquiera percibirlo. Pero ellos ya ansiaban que yo fuese la madrina de Hëno —así llamaron a la pequeña—, argumentaban que yo había sido su salvadora. Entretanto los mocos de Arôme ya le daban por las pantorrillas, envueltas en una masa babosa.

Otro día, andaba yo entretenida doblando la ropa recién lavada, y qué veo desde mi ventana de la cocina. El pesebre donde dormía Hëno, con Hëno dentro, que se balanceaba al vacío desde un sexto piso. O sea, el pesebre colgaba de un clavo del techo de la sala, pero cada vez que Arôme le metía un empujón para balancearla, el pesebre sobresalía por el balcón hacia el exterior. Capaz que la niña hubiera dado la vuelta y se hubiera caído desde aquella altura. Puré de Hëno sueco se habría hecho.

—Arôme, ¿Hëno duerme? —escuché que preguntó Gus al niño desde otra habitación de la casa.

Pero Arôme apenas podía hablar, con la garganta podrida de taquitos y mocos. Ecológicos.

Yo no sabía si cerrar los ojos y esperar el trágico desenlace, porque el niño impulsaba cada vez con mayor fuerza la improvisada cuna, o gritar nuevamente a todo trapo. Mi instinto animal me dijo que no, que debía subir corriendo las seis escaleras, y tocar suavemente en la puerta; daba por seguro que el niño iría a abrir rápidamente.

Me maté por esos peldaños hacia arriba. Llegué con la lengua fuera. Toqué dulcemente con los nudillos. En efecto, Arôme me abrió la puerta. Ya no podía respirar —yo no, él—, del burujón de moco que le tapaba los huecos de la nariz. Moco endurecido. Arôme aspiraba y espiraba por la boca en un ejercicio angustioso.

Fui al pesebre, que todavía se balanceaba. Lo detuve. Cargué a Hëno, ahí sí que no me pude contener. Reclamé a Gus, que salió del baño, la cabeza mojada, un cigarrillo entre los labios.

—Gus, tome —le puse a su hija en los brazos—, tenga más cuidado. Por nada la niña se cae al vacío. Usted sabe, Arôme la balancea con mucha fuerza y la cuna sobresale por el balcón. ¡Dios, casi me muero!

Me tumbé en el suelo extenuada.

Esa noche me agradecieron una vez más, y me invitaron a comer pudín de zanahoria, con agua hervida del Sena, y vino de arroz, como aquel malísimo que se fabricaba artesanalmente en Cuba.

Los noruegos me caían bien. Nunca hablaban de política, y habían escogido vivir así porque creían de verdad en el cuento de la ecología con pobreza. Las familias de ambos eran ricas —ricas no, archirriquísimas—, pero ellos anhelaban desentenderse de todo el dinero y de los bienes raíces; a mí me parecían sinceros. Esa noche conseguí que Helga me dejara destupirle la nariz a su hijo. Consintió en que lo bañara y le lavara la cabeza con un jabón de yerbas naturales. El niño, que jamás dormía, y que sufría de un insomnio feroz, cayó esa noche como muerto. Respiraba apaciblemente. Todo un ángel noruego.

—Por fin se cansó —dijo Helga.

«Por fin se bañó», pensé yo. La peste y los tarugos de la nariz le impedían dormir, además de la cerilla de las orejas, que lo había dejado sordo.

Así pasó el tiempo. Así pasa. Yo evitando a los cubanos, ellos vigilándome. Y yo de amiga de los noruegos, que eran tan raros que ningún otro cubano quería saber nada de ellos. Salvo Hinojosa, que adoraba la pintura joven noruega. Yo ni siquiera sabía que existía. Gus, de hecho, también pintaba.

Todo el mundo pinta, todo el mundo escribe. Qué mundo más cabrón. Lo que más el mundo necesita: «Otro pintor», diría la Gusana. «Otro escritor», diré yo de mí misma.

Pasamos otra noche más invitados a cenar en casa de los noruegos, Hinojosa y yo. Hinojosa es parco en palabras, le cuesta expresarse, pero tiene los ojos muy vivos. Sus ojos lo dicen todo. No hace falta que hable. Es más, cuando habla, la caga. Porque cuando habla suele estar muy irritado. Su silencio es la prueba de su felicidad, es un cubano raro... No me expresé correctamente, es un cubano inusual, porque raros somos todos...

Bajamos la escalera y en el patio nos topamos con *Monsieur Lapin*, o sea, el maestro de cocina, Marcel, con su cara de conejo resoluta. Ya no puedo llamarle de otra manera que *Monsieur Lapin*. Se hallaba acompañado de la Sabandija Cubana, que en ese instante estaba representada bajo la forma de la mujer gris, igual a una rata, los ojos entrecerrados. «Un conejo y una rata, malo, malo —pensé—. De ahí no saldrá nada nuevo, y mucho menos bueno.»

Monsieur Lapin dio las buenas noches un poco turbado. La Sabandija fumaba un cabo de tabaco y me echó el humo en la cara.

—Oye, echa tu brujería encima de otro, no encima de mí, anda. —Espanté el desagradable humo con sablazos de la mano en el aire.

—Hinojosa, ¿cuándo te llegarás por la embajada? ¡Harán una tremenda fiestanga el sábado! Y están invitados todos los cubanos que hayan salido con permiso legal del país. —La Rata me observó de reojo.

Hinojosa la puso de vuelta y media:

—Aunque yo haya salido con permiso legal de Cuba, no tengo ni repinga que hacer en la embajada castrista. ¿Cuál es tu malengue?

—No te pongas así, asere —la Sabandija respondió poniendo la boca de lado, igual a un cheo del barrio de Belén.

Yo no dije ni pío, archivé la indirecta y me dirigí a mi buhardilla en el entresuelo. En otros tiempos, los criados del Hotel de Mónaco —así se llamaba antiguamente este palacete en el centro de París—, dormían ahí, encima de los caballos. Los cuerpos de las bestias calentaban y protegían la estancia del duro invierno.

Hinojosa dejó plantada a la Sabandija. Nadie sabía dónde dormía semejante bicharraco, probablemente en el sótano, con las ratas, las descendientes de aquellas que desangraron a mordidas a los purasangres.

Seis meses más tarde, seguía indocumentada. Acababa de salir de la comisaría y la pesadumbre me embargaba. El prefecto de policía me aconsejó que regresara a Miami definitivamente; que aquí, mientras él estuviera en el poder, ningún cubano tendría nada que ir a buscar. La otra opción —recomendó, burlón— era regresar a Cuba y pedir de nuevo la salida. O largarme a Nueva York con mi residencia americana a empezar un exilio menos politizado, me aconsejó la amable aunque estúpida muchacha que obedecía, igualito que en Cuba, órdenes de arriba. Pregunté en vano sobre la posibilidad del asilo político. Ya había pasado demasiado tiempo, la otra opinó que mejor no me metiera en camisa de once varas. Pero es que, cuando lo pedí al inicio —repliqué—, me aconsejaron que no lo hiciera porque no le estaban dando asilo a ningún cubano. Los documentos que pedían como prueba de la necesidad del asilo no podían conseguirse ni en los centros espirituales de Guanabacoa ni de Haití: constancia publicada en el periódico *Granma*, con fotos y artículo, de persecuciones o de mítines de repudio, y si había heridas, mejor. Me eché a reír, no pude aguantarme.

Salí de la comisaría a mandíbula batiente, y cinco minutos más tarde entré en una perfumería, de esas muy frecuentadas por la gente como yo, una extranjera que espera. Iba a ponerme a llorar como una Magdalena —o más que ella— y me dije que no, que no lloraría nunca más. Mejor me compraba una magdalena proustiana, la humedecía en el té y me la devoraba, pero no tenía *ni quatre sous,* ni cuatro quilos para eso.

Tuve que recostarme contra la pared. Todavía esos olores tan fuertes a perfume francés me daban mareos. Aquí los olores ficticios son mucho más penetrantes que en el trópico.

—¿Puedo ayudarla? —y la empleada me roció con Orquídea Negra.

La vendedora no sonreía como cualquier vendedora lo habría hecho en Miami. Se parecía más a una vendedora cubana, que no tiene nada que vender pero sí mucho que encarar; lo único que le faltaba era un par de garras, colmillos, un hocico y el bozal.

—Sólo miraba —solté a propósito la frase que más las revienta.

Di media vuelta y me metí en la peletería de al lado.

La peletera me miró de arriba abajo. Los zapatos costaban una barbaridad, de mil euros en adelante.

—Aquí usted no podrá gastar nada. —Y me miró como se mira a los pobres de solemnidad, con absoluta indiferencia, ¿o era compasión disimulada?

Así son las vendedoras que se creen la divina caca *rose de Paris.* Tienen mucho de sabandijas cubanas, tratan igual.

Un día volveré, a comprarme unos cuantos pares de zapatos en ese cuchitril de mierda. Salí precipitadamente, tropecé con alguien.

—¡Así te quería coger! ¡In fraganti!

Lo que me faltaba, el cubano del avión.

—¿Te acuerdas de mí? ¿A ver cómo me llamo? —Son las preguntas propias de los cubanos. Si respondes amablemente que sí, que te acuerdas de su cara, pero te quedas en Babia, con el nombre enredado o en la punta de la lengua, entonces responden—: ¡Ah, tú ves, tú no te acuerdas de mí!

Por desgracia, sí me acordaba de él y de su nombre. Un nombre similar no se borra fácilmente.

—Eres Raúl Fidel. Nos conocimos en el avión.

—A la inversa: soy Fidel Raúl. Y el teléfono que me diste era falso, la dirección del hotel también.

Negué con la cabeza.

—No importa. Te busqué y, mira, ¡te encontré!

Eso, quería hacerme creer que se había pasado seis meses buscándome y que por fin me encontraba.

—¿Te invito a una cerveza?

—A una Coca-Cola.

—A lo que tú digas, mami.

Entramos en un bar cercano. Todo el tiempo me llamaba «mami». El barman comenzó a curiosear, a mirarnos extrañados.

—Para de llamarme «mami». Aquí en Francia se les llama «*mamies*» a las abuelas.

—Eso será en Francia, pero en Cuba y en Miami no.

—No estamos ni en Cuba ni en Miami.

—Pero somos cubanos de Miami.

—No, yo soy de aquí.

—¿Desde cuándo? —respondió humedeciéndose los labios con la lengua y sobándose los huevos. Para colmo, tenía la mala manía de subirse y bajarse constantemente el zíper de la portañuela.

No pude remediarlo, esa pregunta bastó para que se me saltaran las lágrimas; las enjugué en seguida con la yema de los dedos. Él me brindó un pañuelo con sus iniciales bordadas en una punta.

Acababa de salir de la prefectura de policía con una respuesta negativa sobre la residencia y el asilo político —me atreví a contarle—, sólo con el consuelo de un permiso de estancia por un mes, y podía darme con un canto en el pecho porque ese permiso de estancia, sólo por un mes, recalqué, era debido a que un fin de semana había salido hacia la frontera con Bélgica, y este hecho me permitía renovar la entrada a través de una carta de invitación de una galerista parisina, algo totalmente inventado por Funchal. Y heme aquí defendiendo el derecho a pertenecer a este país.

—¿Qué te pasa, mami? ¡No cojas lucha con eso! —Fidel Raúl me limpió las lágrimas, ahora él con las yemas de sus dedos, y se las chupó. Fue un gesto natural, pero poco común por estos lares, y ese simple gesto hizo que todas las cabezas se voltearan hacia nosotros.

—Nada, ya ves, nada de nada —hipé, y caí al piso licuada igual que Amélie Poulain—. Y no me dieron ni siquiera esperanzas de adquirir la residencia.

—¿Noooo? ¿Cómo que no te han dado esperanzas? ¿Qué se cree esa gente? ¡Ya yo soy francés! Pero sólo con papeles, todavía no me he adaptado a la idea de ser francés.

—Pero ¿tú no venías de vacaciones solamente?

—Sí, pero yo sabía que tú no habías regresado a Miami. Me di cuenta de que te hallabas harta de todo aquello; lo leí en tus ojos. Me quedé aquí, esperándote, y me dije: «Igual un día me la encuentro de nuevo.» Entonces, entretanto, como mi madre es francesa, pues me hice francés. Yo no quería ser francés, pude serlo desde Cuba, pero en Cuba no quería ser más que cubano.

—No me dijiste nada de todo eso. ¿Tu madre vive aquí? —dudé.

—No me lo preguntaste. Además, tenía poco tiempo para enamorarte; no iba a perder el tiempo en esos detalles. No, mi madre vive en Miami. La historia es corta, en los años sesenta, como tantos franceses, se fue a Cuba, se enamoró, tuvo dos orgasmos solamente en su vida, de uno nací yo y del otro mi hermana. Se divorció, pero prefirió quedarse allá con nosotros. Mi padre se exilió a Miami. Años más tarde, y sin consultar con nadie, me metí en la embajada del Perú, en el ochenta me largué por Mariel. Dejar a madre con mi hermana fue durísimo para mí, y para ellas, ni te cuento. Mi hermana se hizo francesa en Cuba, y en cuanto pudieron salir ambas, nos encontramos en Miami, pero varios años más tarde.

—Yo soy balsera —musité.

—¡Ya tú sabes, un marielito y una balsera! Lo peor del mundo. ¡En París, caballerooooo, una balsera y un marielito en París, candela al jarro! ¡No, si cuando yo lo digo, la vida es bella! —Empezó a agitar las manos, sueltas, y los dedos a entrechocarse, como si fueran a desprenderse de las manos, y se batuqueaban entre ellos con un sonido muy novedoso para los oídos parisinos.

Se rió a carcajadas. Encendí un cigarro. Me lo quitó y lo botó:

—No fumes. Fumar mata.

—Entonces, ¿de verdad estás divorciado? —¿Para qué pregunté eso?

—No, estaba casado cuando te conocí. Acabo de divorciarme. Mi mujer me mandará los niños para las vacaciones. Todo tranquilo, *don't worry, mamie.* Mi madre ayuda a mi ex. Ella, mi mujer, tenía un tipo ahí; todo el mundo lo sabía. Un negro buena gente, socio mío, techero. Pone techos en Miami, él no era tan negro, pero se ha puesto retinto del sol. Y nada, todo el mundo en la intriga, tú sabes, todo el mundo puesto *p'a la maldá,* menos yo... —Bebió un trago—. Que ella me pegaba los tarros con Polito lo sabían desde Kendall, pasando por Hialeah, hasta Tallahassee. En resumen, salí ganando. Vivo en París, y te volví a encontrar...

—¿Eres acaso racista, o qué? —¿Por qué me especializo en hacer preguntas tan idiotas?

—¿Racista, yo? ¿Por qué dices eso?

—Porque has dicho que tu mujer te pegaba los tarros con un negro.

—Es una manera de hablar —soltó, incómodo.

Cambié de conversación:

—Encontrarme no es precisamente tener suerte.

—¿Cómo que no? Ahora nos casaremos, te harás francesa, y ya. Lo que extraño demasiado son los niños, pero no pararé hasta que vivan con nosotros, al menos la mitad del año; y en cuanto a las vacaciones, todas, son mías, los niños me pertenecen en las vacaciones. La Pureta me apoyará en eso.

—¿Tú estás loco? —pregunté, incrédula.

—No, chica. Yo, lo que sueño. Me gusta soñar. Soñar no cuesta nada. ¿O sí?

Paseamos por las calles de París, tomados de la mano. Sólo eso, sólo le permití que me cogiera una mano. Le di mi verdadera dirección, el teléfono. Quedamos para vernos al día siguiente, por la noche.

Antes de despedirme, en el metro Bastilla, hice otra pregunta en apariencia fuera de lugar:

—¿Has conseguido trabajo?

—Claro, soy jefe de una oficina de arquitectos. ¿Y tú?

—No, nada formal, no tengo permiso de trabajo, pero me gano la vida, como puedo, trabajo al negro. Con traducciones, artículos que firmo con seudónimos para revistas españolas. Mis amigos me ayudan cuando pueden. Cuido niños... —Me ahorré lo de limpiar casas y remachar muebles desvencijados en el Village Saint-Paul.

—Tengo ganas de conocer a tus amigos. Ya tú verás, les caeré bien, como una onza de oro; y yo a ellos, en firme. —Parecía el hombre más seguro de la Tierra.

—¿Te fue difícil conseguir trabajo? —vacilé en interrogarlo sobre el mismo tema.

—Para nada, esto aquí es casi comunismo con de todo. Y los cubanos sabemos sobrevivir dondequiera, sobre todo en la burocracia del comunismo con abundancia. Muchacha, la mentalidad de esta gente me la conozco al dedillo. Siempre fingiendo que trabajan, y ganándole horas a la vida. Nacieron descontentos.

Me hizo reír. Invariablemente me hacía reír. Pese a esos dos nombres fatídicos, Fidel Raúl. ¡Sólo a una francesa de los años sesenta se le podía ocurrir bautizar a su hijo con semejantes nombrecitos! Se lo comenté.

—Ah, y si quieres verla desbordante de felicidad, y que te elija como su nuera preferida, sólo tienes que bautizar a tu primer hijo conmigo como Ernesto o Camilo...

—Pero aguanta. ¿A ella sigue gustándole aquello?

—¿El comunismo a la cubana? ¡Claro! ¿Cuándo tú has visto a un francés renunciar a sus ideales?

—Desde lejos, a ninguno.

—Eh, *voilà!* Ya lo dijiste todo.

Llegué a la casa extenuada pero con una buena dosis de alegría interior, que se me evaporó cuando me tropecé en el patio central con la Sabandija Cubana. Esta vez estaba vestido de vendedor de la FNAC, con sus ojos vidriosos de envidia y su porte decaído. Venía de estudiar en la universidad, dijo, añadió que estudiaba una de las mejores carreras en la Sorbona. Aguardó a que yo preguntara cuál, pero no lo hice. Luego me enteré de que estudiaba una carrera del montón en París VIII. Me contó también, sin yo preguntarle absolutamente nada, que había sido modelo, que bailaba muy bien y que poseía unos conocimientos musicales extraordinarios. Ni me fue ni me vino, me entró por un oído y me salió por el otro. Pero percibí que la Sabandija Cubana, vestida así, de hombre blanco, disfrazada de maricona de orilla, podía ser más seductor que cuando andaba con su disfraz de mulata jaracandosa.

En eso estábamos cuando de una de las escaleras que daban al patio surgió el Dramaturgo. Un señor elegante, mayor ya, unos setenta años. La Sabandija viró la espalda y masculló:

—¡Otra vez este tipo! —Los dientes le chirriaron—. No lo soporto, quiere acostarse conmigo.

El Dramaturgo iba a seguir su camino pero volvió sobre sus pasos. Y muy amablemente se dirigió a nosotros:

—Mañana presentaré un libro de poemas en la Librería Española. Están invitados. Regalaré ejemplares a personas elegidas por mí, entre los que los he incluido.

—El mío te lo puedes ahorrar. Considero la poesía inútil —respondió la Sabandija con desprecio.

Sentí pena por el hombre.

—Mañana estaré allí. Iré con un amigo, si me lo permite.

El hombre se ajustó las gafas y me agradeció, despidiéndose cordial. Fue a darle la mano a la Sabandija, pero éste se la rechazó:

—Es un vago. Ni escribe ni hace nada. Un vago. Mi amigo Rémy Dubois, que es cubano pero se afrancesó el nombre (antes se llamaba Remigio Díaz), me dijo que este tipo como dramaturgo está acabado. *Fini!*

No respondí al comentario de la Sabandija. Porque conocía a Rémy Dubois, ex Remigio Díaz, y el que estaba acabado como escultor era él. Fuimos presentados en casa de una periodista francesa miope y con los dientes botados y un dedo de caspa en el cráneo, que nos invitó a cenar hierbas e infusiones (no sé si esto tenía que ver con la obsesión saludable muy de moda por estos lares o con la tacañería habitual). En aquel momento, Rémy Dubois era un anticastrista furibundo; incluso se permitió criticar a Funchal, que estaba en plena gloria con su pintura, porque visitaba a su familia en Cuba, aun cuando Funchal trataba de pasar inadvertido y de no meterse en política. No sólo eso, Dubois además me exigió que me definiera políticamente, debería explicarle finalmente de qué lado yo estaba. Ni siquiera le respondí, porque cuando se coge una balsa no hay que estar demasiado definido, hay que estar absolutamente loco, y uno no se vuelve fácilmente loco debido al exceso de libertades, más bien a consecuencia de todo lo contrario. Tres meses más tarde Rémy Dubois sería castrista empecinado, viajaría a la isla y se codearía con la mierda más asquerosa de la burocracia local y del ñangarismo, sólo para que lo relanzaran como escultor.

Me iba a largar cuando la Sabandija me retuvo por el brazo. Su mano apretaba como una garra:

—Te invito a un café.

—No tengo tiempo. El café me da taquicardia a estas horas.

Debí haberle respondido así siempre, pero no lo hice. Y la Sabandija, más tarde, fue poco a poco ganando terreno.

Por simpatía con el Dramaturgo, asistí al día siguiente a su presentación en la antigua Librería Española. Llevé a Fidel Raúl. A mala hora, allí se encontraba una gran parte de la comunidad cubana de París, que no paraba de investigar quién era el macho que me acompañaba.

La comunidad cubana, en su mayoría «apolítica», o sea, «política» pero del lado castrista, sinuosa y sumisa, cochambrosa y mejunjera; no se encontraban allí porque el Dramaturgo los hubiera invitado, sino porque la bola se regó y empezó a rodar y a rodar y, como siempre la madeja se enredó, y empezaron por decirse que irían a presentar a un gran escritor cubano en la Librería Española y terminó por difundirse la información distorsionada de que quien estaría allí sería un salsero timbalero que se había escapado en la rueda de un avión y había llegado congelado a Orly. Así son los chismes cubanos, la radio bemba, que aquí posee otra denominación: el «teléfono árabe». Los cubanos empiezan a rodar una bola de una forma y no sabes nunca cómo y cuándo acabarán, y mucho menos dónde.

La Sabandija se encontraba allí, desde luego, lamiéndole los calcañales al Dramaturgo, que no entendía nada de lo que estaba pasando, pero que generosamente repartía sus libros a diestra y siniestra. Lo siniestro se hacía notar en algunos representantes camuflados, policías castristas mal disimulados.

Di media vuelta y me alejé del error, como dirían en Cayo Hueso, el barrio de La Habana, y no Cayo Hueso el de la Florida, porque siempre en situaciones parecidas hay que alejarse del error. Empecé a caminar sin rumbo. Dos cuadras más abajo reconocí el grito de Fidel Raúl:

—¡Yocandraaaaaa, espérame!

Ni siquiera miré atrás, en París nadie se vocea de esa manera en la calle. Entré en la boca del metro Odéon y, una vez en el interior de uno de los vagones, me senté en una esquina y me dormí.

Me despertó una señora, que tuvo la amabilidad de anunciarme que ya había terminado el trayecto. Bajé del tren, subí las escalerillas mecánicas. Me encontré en plenos suburbios y seguí caminando, sin parar, sin saber adónde iba. Finalmente me di cuenta de que andaba buscando algo, y ese algo era el mar. No había mar, ni malecón, ni muro de las lamentaciones en el que tumbarse a llorar mis penas. Me apreté las tetas —se trata sólo de una imagen— y tiré las penas en el fondo de la mochila (otra imagen mal hallada). Volví sobre mis pasos. Regresé a casa.

La rusa estaba esperándome como cosa buena, sentada en el quicio de su puerta con una cara de leche agriada que no la brincaba un chivo. El agua salía por los resquicios de mi entrada y formaba un charco gigantesco.

—Dejaste el grifo abierto.

—No, Natasja, cerré bien todo.

—¿Y cómo explicas esa mojazón? —señaló el salidero de agua de la puerta de mi casa—. Me has inundado la casa; si no llego a tiempo, tengo que botar el piano.

«Qué lástima que llegué a tiempo», pensé.

Abrí la puerta. El agua provenía del apartamento de arriba, y todas mis pertenencias nadaban en un mar terroso, las paredes, los cuadros, todo se había echado a perder. De inmediato recordé la tormenta del siglo por la que había tenido que pasar en Cuba, y me dije que al menos aquí estaba todo asegurado, y que recuperaría lo material. Aunque algunas fotos que había traído conmigo se echaron a perder, y eso sí que era irrecuperable; esto último hizo que me desmoronara en una repentina depresión.

—No viene de mi casa —de lo que ella supo percatarse enseguida.

Natasja subió enfurecida a ver a Migdalia, la maestra que vivía encima de mí.

La institutriz trató de explicar a la rusa que el agua venía del otro apartamento por encima del suyo. Pero ya la pianista no pudo aguantar más. Descendió arrebatada, tirándose de las mechas rubias del pelo:

—¡Qué cansadaaaaaaaaaaaaa me tienen estos cubanooooooos, cojoooooooones! —todo eso en el más puro y perfecto castellano.

Desde una ventana, supongo que desde la del bailarín acoplado con el brasileño, le gritaron:

—¡Jódete, bola, que bastante que nos jodieron la existencia ustedes! ¡Treinta años de invasión comunistaaaaaaaaaaaa! ¡Y ahora regresan como conquistadores! ¡Malditos los chinos y los boloooossss!

No podía creerlo. Me encontraba en pleno escándalo solariego. Y, para qué disimular, finalmente, me sentí en mi ambiente. ¿Por qué negar lo que jamás podré ocultar, que soy tan chancletera como cualquiera de ellos?

ILUMINACIONES

Aproveché que salió el sol, un sol a la cubana, para nada parisino. El sol a la cubana es raro por acá. El sol cubano es un sol que pica en los poros, que te quema de adentro para afuera y te carboniza de afuera para adentro. El sol a la parisina apenas existe, es como una escupida de luz endeble que te enfría los ojos. Pero hoy, no sé por qué, se desprendió hacia fuera ese sol a la cubana. Tal vez porque lo necesitaba para poner a secar mis fotos y documentos empapados por culpa de la nueva familia del cuarto piso.

Coloqué primero las fotos en el muro donde con más encono pegaba el sol.

—No creo que secarlas de ese modo te las salve —era Marcela, la fotógrafa, desde hacía dos días recién llegaba de Cuba.

—Hago lo que puedo. —Apenas la miré.

—Si me las das, quizá te las arregle y sufran menos; poseo métodos más profesionales y sofisticados...

Asentí y acepté. Ella me sugirió que la esperara, se fue a su casa en el quinto piso y regresó con unos cartones especiales, entre los que colocó cada foto húmeda. Se las llevó al cabo de un rato. En unos días me las devolvería, afirmó.

Pasaron los días, empecé a ponerme nerviosa al no volver a ver a la fotógrafa. Funchal e Hinojosa tampoco la vieron. Nadie sabía de ella.

Por fin reapareció.

Marcela se hallaba en Camboya, se excusó por la tardanza, me devolvió las fotos. En efecto, aunque no estaban como antes de mojarse, las había mejorado considerablemente.

—Estudié también conservación en el Museo del Louvre —explicó—. Mira, te traje estas otras fotos que también hice en Cuba para *National Geographic.*

Tomé el álbum que me tendía. No parecía Cuba, parecía Beirut. Peor que Beirut, al menos la capital del Líbano se ha sabido reconstruir después de cada guerra. Las hojeé y le devolví el álbum, la invité a tomar café.

—Mejor preparo yo un *kir* y conversamos un rato en mi casa.

Acepté. Intenté que regresara con el álbum.

—Guárdalo, es para ti. Es una tirada especial.

No me quedó más remedio que aceptarlo, pero no aguanto las fotos de la miseria cubana. «Jamás lo volveré a abrir», me dije.

Su casa era agradable, con un salón despejado, y fotos de Man Ray y de Dora Maar en las paredes.

—¿Estás con el Cineasta? —pregunté, indiscreta.

—Hemos vivido una historia tumultuosa. Ahora sí, seguimos a mi manera, juntos pero no revueltos. Él en su casa, yo en la mía. Tampoco estamos tan lejos, él alquila enfrente. Vivimos puerta con puerta. No te veo con nadie. ¿Eres lesbiana?

Para cualquier cubano, si en seis meses no te ve con una pareja, ya eres tortillera o maricón.

—No, no tengo a nadie. Y, bueno, también yo dejé a un cineasta en Cuba, con quien pienso reunirme en algún momento.

Mentí, aunque no tanto: albergaba la esperanza de volver a reunirme con el Nihilista.

—¿Prefieres París a Miami?

—Sí —respondí de manera resoluta, aunque ya empezaba a extrañar el calorcito de Miami, incluso hasta las palmas, esos árboles que Abreu califica de horrendos. Yo prefiero los framboyanes y las ceibas.

—Raro, en Miami el clima es mejor. Aquí, aquí no es fácil; deja que venga el invierno duro de verdad, te cagarás de frío.

—Yo he vivido antes aquí. Y nada, como dijo Bebo Valdés en una entrevista, me gusta la nieve. Adoro la nieve...

Nos miramos cómplices y nos echamos a reír.

—¿Y por qué vives en este edificio, por no llamarlo solar, rodeada de cubanos? —pregunté—. Ah, claro, viajas tanto que apenas los sufres.

—Cuando llegué a este edificio sólo vivían Funchal e Hinojosa; el barco se ha ido llenando... No está mal, es un chisme *light*, el de estos de aquí. Hablan mal de ti ahora porque eres la última: en cuanto llegue otra u otro, la cogerán con el último que llegue y pasarás a ser parte de su equipo.

—Jamás —negué rotundamente.

—Por el momento, además de rajar de ti, no paran de echar pestes de los recién mudados. De la familia que alquiló sin saber que el baño estaba roto, y que no se podía llenar la bañadera de agua.

—Bueno, yo tampoco puedo hablar bien de ellos. No

sólo eso, dejaron la pila abierta e inundaron medio inmueble, incluido mi apartamento.

En realidad, no los criticaban por eso, agregó Marcela. Los criticaban porque ella era rubia, blanca, de ojos azules, su padre era un eminente abogado francés, y había decidido dejar su casa, su familia, para casarse con un negro martiniqués.

—Los cubanos somos muy jodidamente racistas.

—No lo creo. —Marcela encendió un Marlboro—. El castrismo los ha puesto así.

—Antes lo eran y el castrismo se lo incentivó.

—Acusar a los cubanos de racistas es grave, en un país donde hay tantos negros.

—También los negros lo son, ¿o no te has dado cuenta? Es un fenómeno social cubano, y habrá que luchar bastante contra eso, tendremos que escribir libros en contra de ese fenómeno, y denunciarlo, para que abran los ojos de una cabrona vez —de súbito empecé a enardecerme.

—Ah, eres otra... otra revolucionaria. —Marcela exhaló una cachada larga del cigarrillo y me observó por detrás de la humareda.

—No, ¿por qué dices eso?

—Hablas como ellos.

—Ellos me formaron, o me deformaron.

Marcela me brindó otro *kir*, la cabeza me dio vueltas; no bebo nunca. Porque dejé todo, de beber, de fumar, me he vuelto casi monja; tampoco tiemplo. Sólo pienso, duermo, escribo una sola frase, y trabajo en cualquier cosa con tal de ganar dinero. No, no en cualquier cosa, todavía no he caído tan bajo, o tan alto. De puta no me iría tan mal, ironicé para mis adentros.

—De todos modos, esa familia es un poco rara, ¿no crees? —preguntó Marcela.

Yo apenas los conozco, porque salgo a la calle a lo imprescindible: tengo miedo de encontrarme con Fidel Raúl. Estoy como en Cuba, que no salía porque me aterraba la calle y me aterrillaba el sol, o como en Miami, que no podía salir porque no sé manejar. Aquí no salgo porque sé que corro el riesgo de volver a tropezarme al energúmeno ese. Y no quiero caer en las redes de nadie, por muy simpático que sea.

Marcela se tumbó en la cama, y sonrió.

—Estoy cansada.

—Entonces, me voy.

Le dije que me iba a ver si se incorporaba y decidía hablar otro rato más; no lo hizo. Antes de marcharme le di un beso en la frente. Ella cerró los ojos.

—Hace mil años que nadie me besaba la frente antes de dormirme. Eso es lo jodido del exilio, la pérdida de las caricias, el olvido de la ternura.

—Sí, tienes razón, pero lo peor del exilio es que ya no vuelves a ningún sitio de forma natural. Todo resulta como una película interminable.

—Aunque jamás aburrida; infinita, pero no aburrida.

Cerré cuidadosamente, los peldaños de madera crujieron debajo de mis pies.

La puerta volvió a abrirse.

—¿Te quedarías a dormir conmigo? No te asustes, no soy lesbiana; soy frígida, pregúntale al Cineasta.

No pude contener la risa. Volví sobre mis pasos, me prestó una bata de dormir, de seda. Nos acostamos abrazadas, la luna era llena y su intenso fulgor se colaba por los visillos de la ventana.

La familia Talleyrand empezó a ser en verdad conflictiva, muy pronto ganaron la Palma de Oro de los más problemáticos del inmueble. En cuanto a golpizas, se le fueron por encima al bailarín, que yo llamo la Pliscskaya (así, mal escrito), y a Petro el brasileño, que, inevitablemente, antes o después de una buena singada se dan una magistral retreta de piñazos. Siempre terminan en el hospital Saint-Antoine o en el hôtel Dieu, enyesados, o con un parche en la cabeza, o con los ojos *apollinaires*, o sea, apolimados.

La rubia de alcurnia y el martiniqués de orilla se entraban a golpe a diario, las broncas culminaban con suspiros de placer. Ella a veces sacaba su torso desnudo a través de la ventana, mientras él la socavaba entre las nalgas. Y ella con las tetas blanquísimas colgando desde el balcón hacia la rue Charles V. Dicen que el otro día pasó el cura de una catedral cercana y se santiguó como mil veces, aunque iba con el tolete en ristre, que le levantaba la sotana igual a una tienda de la campaña de Napoleón.

Claretta y Toussaint Talleyrand tienen dos hijos. Dos mulaticos preciosos. Uno de tres años y otra de seis meses.

Durante las vacaciones, el Cineasta colocó una piscina redonda, inmensa, comprada en Carrefour, para que todo el que quisiera se bañara. Hacía ese calor propio de aquí, seco y acartonado. Tuvo más público que la piscina municipal; si hubiéramos cobrado nos habríamos enriquecido, pero los cubanos somos sentimentales e, invariablemente, cuando no debemos, regalamos lo que no tenemos. Entonces todo el mundo bajó al patio a darse un chapuzón. Hasta la Memé sorda, de noventa y nueve años, y Sherlock Holmes, un tipo igualito al detective, que jamás se ha quitado la pipa de la boca ni el impermeable, y que no se bañaba desde la segunda guerra mundial. Cuando se metió en la piscina dejó una costra por los bordes: hubo que botar el agua *renegría* de mierda y raspar los trozos de grasa con un cuchillo de cortar el duro queso que aparece inevitablemente en las películas de Jean Gabin.

A la piscina bajó todo el vecindario, incluso de los edificios colindantes, y de otros barrios también se acercaron, y hasta los turistas extraviados que buscaban el *Paris-Plage* —la playa que el alcalde ha inventado en las orillas del Sena—, se zambulleron en la piscina. Yo no me metí, qué va, capaz de coger cualquier parásito o un fulminante cáncer de piel. Aunque por la noche el Cineasta le echaba bolitas de cloro para desinfectar el agua, pero así y todo, *¡p'a su escopeta!* Por suerte, el agua no la pagábamos nosotros, tampoco la electricidad. Los cubanos habían hallado la forma de robarse el agua de la turbina de una oficina aledaña, y la electricidad de igual manera la tomaban «prestada» —manifestaban ellos— de un cable que habían tirado de una azotea a otra, y de este modo también manigüeteaban la corriente al editor americano que vivía y trabajaba a corta distancia de nosotros. Los cubanos, además, veían todos los canales, incluso Canal Plus, absolutamente gratis, y traficaban los contadores; por gusto, porque la electricidad la usaban de ese otro edificio que ya mencioné. También veían los canales castristas internacionales, en un alarde de morbosidad.

La familia Talleyrand estrenó la piscina. Ella se bañaba con los niños, desnudos todos. Hay que decir que el pequeño Lucien tenía un rabo para su edad que daba vergüenza verlo (herencia del padre, seguro, lo que explicaba que la rubia aguantara las tandas interminables de mandarriazos, en el doble sentido de la palabra). La bebita, Germana, era una bola de churre; los pañales se le caían de la mierda y del orine acumulados dentro. Antes de meterla en la piscina, Claretta, la madre, la enjuagaba bajo la pilita del patio y, cataplún, la lanzaba al agua. Esa niña era un pez, tan chirriquitica, agitaba sus bracitos para no ahogarse; y la madre se reía mientras fumaba un prajo de marihuana del tamaño de una mazorca de maíz, que le pasaba al padre, y que iba pasando de boca en boca. Hasta la Memé de noventa y nueve años se metió su buena fuma.

Los cabos de los porros alfombraban el empedrado del patio. Germana gateaba por encima de ellos y, cuando el hambre la trozaba en dos, los recogía con su regordeta manita, se los llevaba a la boca y masticaba.

—La niña tiene hambre —alertaba Toussaint a Claretta.

Claretta se sacaba la teta y Germana daba un triple salto mortal hasta quedar enganchada al pezón maternal. Lucien aún mamaba, porque Claretta decía que la leche del seno era lo mejor para los niños, y que ambos tenían que esperar a que ella aprendiera a cocinar.

—Apúrate, porque ahorita ese niño te muerde un pecho creyendo que es un bistec. —Migdalia no los soportaba—. ¡Hay que ver los padres de hoy en día!

Yo me ponía a cocinar, era mi pretexto para no entrar en el agua. Mi menú no variaba sustancialmente, no paraba de cocinar lo mismo: frijoles, arroz, ensaladas de coditos —como en aquellos cumpleaños cubanos—, pollo frito. Los vecinos musulmanes también me ayudaban con los dulces y otras boberías, porque tampoco ellos se metían en la piscina, pero no a causa del churre, debido al tema religioso.

Claretta y Toussaint habían adoptado un perro, no cualquier perro: un rottweiler, de los asesinos. Pero los cubanos no sabíamos nada de esos perros. Era hembra. La perra se me pegó, y no paraba de llorar a mi puerta para que yo le diera de comer y la dejara entrar. «¿Será tortillera, esta perra?», empecé a inquietarme.

La perra siempre traía el cuerpo magullado, lleno de postillas y mordidas. Y como estaba enferma de los nervios, se pasaba el día queriéndose estrellar contra la pared del patio, con lo que la mancha de sangre en la pared no había ya quien la borrara, por más que intenté restregarla con el mocho de una escoba y con lejía, friega que friega, ni siquiera conseguía suavizarla; porque la perra se impulsaba en una carrera enfurecida contra la pared, y el lomo sonaba como si explotaran un globo de Cantoya. Yo me pasaba la vida desinfectando a la perra con pomos de agua oxigenada, hasta que la decoloré total y se puso albina.

Fue un policía que vino a zambullirse en la piscina

quien nos informó de que esa perra era un peligro, sobre todo para los niños.

—Bueno, ella está vacunada —aclaró Toussaint.

—No es eso, es que ella, cuando muerde, traba y, acto seguido, mata —subrayó el poli.

—Ya lo sé. Yo la echo a pelear todas las noches. Esa perra es la que nos mantiene a nosotros. Me hace ganar pasta con cojones. Que es una fiera, eso lo sé yo, que mata, claro que mata. Por eso la tengo, porque prefiero que lo haga ella antes que hacerlo yo.

Nos quedamos de piedra.

El policía, tieso:

—¿Oí bien, o estoy alucinando? ¿Qué me diste a fumar? —se hizo el chivo sonso.

Claretta suavizó la tensión:

—Está bromeando, ¿no ve que es un jodedor? Somos gente tranquila, y esa perra es un ángel. Ella es mi *nounours,* la que me cuida a los niños, fíjese lo mansa que es...

Era cierto. Una noche Claretta bajó a mi entresuelo con un aparato azul cielo, plástico, en forma de radio portátil. Me preguntó si podía cuidarle a los niños a distancia, o sea, ella había instalado un aparato de audio en la cuna de Germana, y Lucien recién se había dormido. En caso de que se despertaran, yo tendría la posibilidad de escucharlos llorar a través de ese otro instrumento que colocaba en mis manos. En caso de que sucediera algo, me pedía que la llamara a su número de móvil, que ella estaría en menos de diez minutos en la casa. Ya se iba a ir cuando la detuve por el hombro.

—Espera, ¿adónde irás? ¿Los niños están solos arriba?

—Nooooo, están con *Raysa Gorvachiot* (ése era el nombre de la rottweiler)... —creyó que había terminado.

—Oye, te pregunté que dónde estarás. No puedo quedarme con tus niños mediante un aparato que no sé si funcionará o no, y para colmo una perra histérica y rabiosa cuidándolos.

—*Raysa Gorvachiot* quiere mucho a los niños. Yo estaré en La Défense, en una fiestecita... Bueno, en un club privado.

—No, toma, lo siento. —Le devolví el aparato, cerré la puerta. Insistió, abrí—. ¿Cómo puedes asegurar que estarás en menos de diez minutos aquí, en el Marais? ¿Te das cuenta de la distancia que hay entre La Défense y este barrio? No, no y no.

Cerré la puerta nuevamente. Claretta maldijo, la sentí investigar apartamento por apartamento, a ver quién aceptaba su oferta. A los otros les hablaba de pago y les contaba otro cuento bien distinto al que me había hecho a mí. La maestra aceptó. Con la perra juma que se gastaba esa noche la Migdalia, los niños se hallarían bajo la más remota de las custodias.

En más de una ocasión, las criaturas quedaban solas, tarde en la noche, con *Raysa Gorvachiot.* Por otro lado, las palizas continuaban, y la fumadera, ni se diga. Con el burujón de cabos de porros en el patio habríamos podido poner una fábrica de marihuana en Holanda.

Los noruegos a veces compartían con ellos en el patio, sacaban una mesa y cenaban al aire libre, en primavera, en verano, o cuando había verano indio, que es cuando el otoño se alarga. Sin embargo, terminaron por cogerles terror, sobre todo a los niños, que ya metían unas mordidas peores que las de la perra.

Una noche, Toussaint bajó con un sofá de Ikea montado en las espaldas; iba acompañado de la perra. Tiró el sofá en la calle, con la misma dijo una palabra y *Raysa Gorvachiot*, sin pestañear, destruyó el sofá: en cinco minutos lo redujo a migajas de goma y trocitos de tela.

Yo estaba botando la basura, y apenas podía respirar. La perra parecía una leona en medio de la selva con un venado entre las mandíbulas.

—¡Ah, estás ahí! —Toussaint se me acercó, *Raysa Gorvachiot* babeaba a sus pies.

—¿Qué fue eso? —sólo me atreví a preguntar en un hilillo de voz.

—Ah, es la palabra mágica; cuando la digo, *Raysa Gorvachiot* ataca.

—¿Y por qué ha destruido el sofá?

—Ah, sirvió para entrenarla, y el sofá estaba lleno de comején, no servía.

—Por favor, te lo ruego, escríbeme la palabra mágica en un papel para aprendérmela de memoria y jamás, jamás, pronunciarla.

—No te preocupes. No es una palabra corriente.

—Pero es que soy escritora, y conozco muchas palabras. Igual se me va delante de ella y me desguaza como a una pulga.

—No, no lo hará. Es el código de mi tarjeta de crédito, y nadie lo conoce. No puedo dártelo.

Llegué a la casa meándome en el blúmer. Me tomé dos Sanax y me acosté temblando. No me dormí hasta las cinco de la mañana. Por suerte era domingo y no tendría que ir temprano a martillar tachuelas doradas en butacas Thonet.

¿Cómo podía faltar un comité, con sus respectivas reuniones, en el seno de una agrupación de cubanos? De ningún modo, un comité es el *nec plus ultra* —insisto— de la necedad cubana. Aun cuando en el inmueble nadie fuese propietario, los cubanos se las arreglaron para crear asambleas con el propietario con el objetivo de quejarse ante cualquier bobería, denunciar a un vecino e intentar botar a otro del edificio. O sea, que no había necesidad ninguna de consejo de vecinos, pero ellos se lo inventaron. Y, dos veces por mes, invitaban al dueño a esas reuniones. El dueño, desde luego, no estaba en la obligación de aceptarlas, pero se sentía tan aburrido...: era viudo, inmensamente rico, tenía a una hija loca, una amante todavía más demente, y no sabía qué hacer con su dinero y mucho menos con su tiempo. El espectáculo de los cubanos lo divertía, sin duda.

El señor Ducon, cuyo nombre en francés dejaba mucho que desear, porque separado *Du con*, resulta un insulto aborrecible, depende: el «Señor del Coño» podría ser simpático; sin embargo, en su otra acepción, «Del Comemierda», no lo es para nada. El señor Ducon llegaba puntual, a las cinco y media. Se sentaba en una silla que los inquilinos le colocaban en el centro del patio, frente a unas cincuenta sillas más; porque, claro está, el jefe del consejo de vecinos, o sea, el bailarín, invitaba también a otros cubanos aunque no vivieran allí, y sumaba a gente de la calle. Era una forma de hacer su puesta en escena, de realizarse como en un escenario, y de competir con el Dramaturgo, al que detestaba. Todo el mundo odiaba al Dramaturgo, menos yo, que sentía admiración por él. Pero los demás se habían dado cuenta de que era probablemente el que más talento poseía, entonces empezaron a denigrarlo.

La Sabandija, aunque no vivía en el edificio, se invitaba solo, no hacía falta que nadie lo hiciera. Y era puntual, y absolutamente fiel a la causa.

El señor Ducon observaba impávido nuestras muestras de ser, no seres superiores, como nos creemos, sino los seres más inconsistentes del mundo. Por momentos no podía más, se ponía rojo de tanto aguantar la risa, pero guardaba la compostura.

—Mire, señor Ducon —habló la Pliseskaya—, vamos a leerle los puntos de esta reunión del consejo de vecinos. «Número 1: higiene de las áreas colectivas. Número 2: higiene personal de cada habitante. Número 3: participación en las tareas colectivas.» Hemos puesto un mural para que la gente siga día a día esas actividades. Por ejemplo, la caza de ratas. Cada día, uno de nosotros debe cazar, al menos, dos ratas, o tres, tres ratas por cabeza no vendría mal. Envenenarlas y dejarlas colgadas en el guardacantón de la entrada con su nombre escrito, de este modo sabremos a quién debemos puntuar de manera positiva, y a quién elegiremos como vecino vanguardia. El otro asunto como tarea colectiva, el de premiar a aquellas personas que denuncien al sinvergüenza que se está meando en la escalera. ¡Todas las noches se mea alguien en la escalera!...

En este punto, por nada vomito, qué bajo pueden caer los cubanos. Funchal había sacado un óleo y pintaba entretenido, haciéndose el que oía. Hinojosa levantó la mano:

—Con permiso, voy en *bora*, que tengo una cita con un galerista...

—Deberemos anotarte como ausente, no hace cinco minutos que empezó la reunión y ya te estás yendo —recalcó el bailarín.

—De acuerdo, consorte, haré contracandela cazando ratas, o guardia de comité para descubrir quién se mea o se caga en la escalera... En fin, ¡qué manera de perder el tiempo, caballerooooooo! —manoteó el pintor.

Hinojosa tiró la puerta de la calle con tremenda roña. Hubo murmullos. Los noruegos pidieron también la palabra: ellos no entendían el acápite ese de la higiene personal.

—Que hay que bañarse todos los días —subrayó Migdalia.

Ellos se bañaban, con unos ramos de violetas se daban golpetazos en la piel, y se metían en unas calderas hirvientes de agua con aceites especiales. Pero, claro, una o dos veces por trimestre. Porque, aunque los suecos, noruegos, finlandeses, son muy higiénicos, no olvidar que Gus y Helga eran ecológicos de extrema ecología.

La Memé no oía nada, pero se deleitaba contemplando el manoteo de los cubanos, y la gesticulación turulata y apabullante. Monsieur Lapin sugirió hacer más cenas en el patio durante la buena temporada, propuso que él ayudaría a los cubanos a cocinar. El Cineasta mostró una pantalla que le habían regalado. Desde esa misma semana estrenaría material fílmico, histórico y de lo que encontrara para entretener a la gente del barrio. El brasileño Petro dijo que sí, que de acuerdo, pero que tenían que dejarle presentar sus documentales sobre Bahía y sus santos, que los cubanos alardeaban con ser los más creyentes y que él también lo era, y que para Navidad haría un árbol gigantesco, como un framboyán eucarístico, dedicado a Changó, cosa de calmarlo con cariño, que el dios guerrero estaba demasiado revuelto, mi hermano hermafrodita, subrayó.

—¿Qué dijo éste?, ¿que Changó es ganso? —Migdalia ya le iba a espantar un gaznatón; le cogí la mano en el aire—. ¡Suéltame, que lo mato, falta de respeto!

Conseguí maniatarla.

Silencio absoluto. Marcela rompió el hielo. Ella no sabía que la gente del edificio le metía en la misma costura a la santería. Los noruegos no entendían nada, mucho menos la parejita Talleyrand.

—No te me hagas, Toussaint, que tú debes de tener un *clave*, o sea, tu altarcito guardado —bromeó Marcela.

Toussaint estaba con los ojos rojos, los párpados caídos, y a punto de derrengarse de la silla, tal era el vuele de marihuana y de otras sustancias que llevaba.

Migdalia empezó a menearse incómoda en su butaca.

—Yo tengo mis santos, y espero que a nadie le moleste. Porque mi Elegguá es muy sano, y no jode a nadie, y no me da la gana de quitarlo. —La solté, convencida de que ya había olvidado al brasileiro y el brete del Changó pargo.

Ahí metió la cuchareta la Sabandija:

—Señores, pero en medio de París, ustedes siguen con ese oscurantismo. Con tanto museo que hay que ver, y tanta cultura y desarrollo que ofrece esta ciudad. ¡Qué barbaridad!

Para enervar al público no había que buscar a nadie mejor.

Los dueños del restaurante La Zorra y el Cuervo saltaron de sus asientos. Eran dos cubanazos con mazos de collares de santería al cuello, y tremenda rufa. Una mujer y dos hombres, su hermano y su marido:

—Oye, ¿qué pinga le pasa al renacuajo este? ¿Qué oscurantismo ni qué niño muerto? ¿Qué bolá contigo, asere? ¡Esto es la libertad, por si no te has enterado todavía! ¡*Maferefun* mis muertos!

—¡Sí, sí, está bueno ya! ¿O es que van ahora a reprimirnos como en Cuba? —protestó su mujer.

La galleta andaba dando vueltas, sata, en el aire. La Sabandija mutó en mujer, y eso desconcentró un poco al público; hasta que Casimiro Láynez, *el Dramaturgo,* dio una patada en el piso y declamó con voz histriónica:

—¡Por favor, señores, que esto es sólo una reunión para entretenernos!

Entonces se puso peor la cosa. ¿Cómo que para entretenernos? Esto era una asamblea muy seria, voceó la Pliseskaya. Petra, la pájara brasileña, empezó a revolcarse encima de los ladrillos del patio, en una jerigonza yoruba, según ella, y a escupir buches de ron. Migdalia sacó su frasco de sietepotencias y allá fue eso, a rociar a la gente con aquel perfume apestosísimo. Marcela extrajo la cámara de su bolso y disparaba a todos con su objetivo. Samuel, *el Cineasta,* colocó la cámara de video en el trípode. Aquello, dijo, era como una película de Sarita Gómez, de Glauber Rocha, o un documental étnico de Pierre Fátúmbí Verger. Funchal daba pinceladas hasta en los rostros de la gente que entraba para enterarse de lo que estaba pasando en aquel patio. Sherlock Homes se empezó a ripiar el impermeable, por nada se traga la pipa de un trompón jaranero que le metió Claretta, para que volviera en sí. Toussaint dormía a pierna suelta con el paserío enredado metido dentro de un gorro de lana que le servía de almohada. Los noruegos, nadie supo por qué, se pusieron a rezar salmos dedicados a la madre naturaleza. La Memé se divertía de lo lindo, ella no oía nada, sólo sonreía, y esquivaba los trompones que empezaron a darse entre ellos: Rémy Dubois y la Sabandija, ahora mutada de nuevo en loca quisquillosa. Migdalia se revolcaba también en ataques epilépticos, se había puesto de color morado, y con la lengua afuera, masculaba que le había bajado Babalú Ayé. A la lengua de Migdalia se le colgó la rusa, que le tenía tremenda inquina a la institutriz, y hubo que separarlas porque si seguía se la arrancaba de un cuajo. Claretta se encueró, que ella siempre terminaba las asambleas como Dios la trajo al mundo, y se puso a brincar. Entonces los cubanazos se quedaron en *stop motion*, gozándole las tetas a la rubia, que le brincaban también de lo lindo.

—¡Eeeeeh, ¿y esta recholata?! ¿Riña o romance?

La voz provenía de la entrada, donde ya se apretujaba una cantidad enorme de curiosos.

—¡Fidel Raúl! —no pude evitarlo, grité con toda mi alma, desde la silla en donde me había encaramado.

En cuanto los cubanos oyeron esos dos nombres se quedaron consternados, aterrados.

—¿Los dos juntos? —preguntó Pliseskaya, medio atolondrado en el suelo— . ¿Qué? ¿Se exilaron los dos *singaos* de los Castro?

Petro le sonó un yiti para que recuperara los sesos, así mismo dijo.

Fidel Raúl se veía muy elegante con su traje *Dulce and Guayaba*, y su perfume de la misma marca, y los zapatos también, y su manilla de oro, y la cadena gorda de donde colgaba un san Lázaro del tamaño de una copa de champán, y su pelo engominado, y así, limpiecito, y tan sonriente.

—¿Qué coño es esto, Yocandra? —se dirigió a mí—. Vámonos de aquí, dale. Te invito a cenar al Georges.

El señor Ducon no se había movido de su silla. En ese instante se paró, y aplaudió:

—Nunca había visto nada igual. El final excelente —le dio dos palmadas al Dramaturgo—, señor Láynez, esto es lo mejor que he visto de usted, sin duda. ¡Y este cierre maravilloso con Fidel y Raúl en un mismo personaje protagónico! ¡Estupendo, bravo!

Detrás, todos quedaron con la boca abierta, los ojos desmesuradamente botados fuera de las órbitas.

Salí de escena, cogida de la mano de Fidel Raúl, subí a su automóvil, una Mercedes color *havane*, y me puse a llorar dentro mientras él me tendía un pañuelo almidonado. Pero ¿cómo a alguien podía ocurrírsele almidonar los pañuelos?

Yo extrañaba a mi madre. Siempre creí que ella moriría antes que mi padre, tan flaquita y tan frágil la había dejado en Cuba. Ese cargo de conciencia no podía quitármelo de encima. No sucedió así. Mi padre murió primero, perdió la cabeza. Aun en el más allá, seguía soñando que cortaba caña, y no paraba de dar machetazos imaginarios a diestra y a siniestra, con lo que decapitó cientos de cucarachas voladoras, se volvió una especie de Ishi, y como hasta el veneno contra las cucarachas había desaparecido, la gente lo reclamaba como el samurái cucarachero. Mi madre me lo contó, porque papá murió estando yo en Miami. Se atragantó con uno de sus macheteritos, aquellos muñecos que esculpía con una navaja y que se convirtieron en el centro esencial de su vida.

Mamá se fue a la cocina a sacar de la hornilla la olla de presión con los chícharos. Se demoró; la olla pesaba más que ella, y el mango no agarraba bien. Y mientras ella hacía malabares con la olla, papá empezó a comerse las figuritas con los ojos inyectados en coágulos, y ahí mismo cayó atarugado.

Mi madre me llamó por teléfono:

—Hija, tu padre se murió —y se echó a llorar.

Nos partimos a llorar ambas. Otra certeza del exilio: ya yo no volvería a ver a mi padre. Ésos son los instantes en que nada vale nada. Y en los que el exilio toma su verdadera significación, la de uno de los castigos más crueles que se le puede infligir a un ser humano.

—Ahora no puedo hablarte, te voy a escribir —colgó.

Parece que tiró el teléfono tan fuerte que lo rompió. Y rompió de paso la línea, porque estuvimos incomunicadas casi un mes. Un mes sin saber de mi madre, ni del entierro de mi padre. Hasta que ella me escribió.

La carta de mi madre fue escueta, aunque dolorosa, y también casi cómica:

La Habana, 19 de abril de este año, da igual...

Querida hija:

Tu padre falleció, atragantado con un machetero de madera de los que él esculpía. Ya había llegado a los diez millones de macheteros de madera. La zafra no se cumplió, la del setenta, y fue la razón por la que lo destituyeron y se volvió loco. Pero consiguió hacer diez millones de figuritas de madera, todas con el machete en alto, y su sombrero de yarey. De lo más monos que le quedaban, esos macheteritos. Los vendía a medio, al final los fue regalando poco a poco.

Hija, tu padre era recio, pero bueno. Perdónalo. Yo lo perdoné. Ahora me he quedado sola, pero no pierdo las esperanzas de volver a verte. Lo enterramos en Colón, como a todos los que se ñampiñean por aquí. Es un riesgo, porque lo enterré con la dentadura postiza y dicen que están abriendo las tumbas para robarles las planchas a los muertos, pero ¿qué iba a hacer? Él no quería que lo quemaran, y las cenizas me dan alergia, y no iba a pasarme el resto de mis días estornudando por culpa de tu padre. Lo puse en la concesión de su familia; para entrar tendrán que brincar una reja altísima. Finalmente, tu padre, que siempre se jactaba de ser de origen humilde... ¿Quieres que te cuente? Todo mentira, pues vaya monumento que se gastó su familia en el cementerio.

Te quiere,

TU MADRE

Yo quise sacar a mi madre de Cuba, pero ella se negaba. Decía que a Miami saldría sólo con el Wifredo Lam, aquel hermoso cuadro que había heredado del exiliado, el cual había perdido la casa, en la que nosotros vivíamos, porque mi padre se la había ganado por el trabajo. Ganado es un decir, porque tuvo que pagarla. Entonces, si las condiciones eran salir con el óleo, no saldría nunca, me decía yo, jamás podría apoyarla en eso.

Ahora que me hallaba en Europa tenía la sensación de que podría embullarla y salvarla de todo aquello. Lo intentaría.

Le conté mi drama personal a Fidel Raúl.

—Esto está querido ya. Yo me encargo de sacar a tu madre de Cuba junto con el garabato de Wifredo Lam.

Raro, por momentos Fidel Raúl me recordaba a mi padre.

Así fue. Fidel Raúl sacó primero el Wifredo Lam, a través de una valija diplomática de un país que no me quiso decir el nombre. Y más tarde mandó a alguien a Cuba, quien tramitó todos los papeles de mi madre. Esto demoró nueve meses, y en los últimos días ya yo estaba extenuada. El tiempo de un parto, era como si yo estuviera pariendo a mi madre, y que mi sexo no se abriera lo suficiente, y aunque yo introdujera mis manos en la vulva y halara por su cabeza hacia fuera, algo mucho más potente se empeñara en retenerla dentro de mí.

Sí, sacar a mi madre fue un parto difícil. Pero Fidel Raúl ejerció de partero y lo consiguió. Soy consciente de que para otros ha sido peor, mucho peor.

Yo la esperaba en el aeropuerto de Orly con un ramo de rosas amarillas. El vuelo de Cubana aterrizó y empezaron a temblarme las piernas, tenía un nudo en la garganta y el pecho comprimido. De la puerta de cristal surgía todo el mundo menos ella.

Al final, emergió de última. Lo primero que vi fueron sus ojos color café, opacos, y su pelo bien peinado. Había envejecido mucho, estaba todavía más delgada que cuando la dejé, y la boca se le hundía. Venía vestida con un juego de chaqueta y pantalón azul de Prusia, una camisa de encaje azul claro y unos zapatos de charol. Me buscó con la mirada, y ambas sonreímos. Dos jóvenes la acompañaron hasta mí.

—Su madre es muy divertida —me dijo uno de ellos.

Nos abrazamos. No había nada comparable al abrazo tibio de mi madre, luego de tanto tiempo separadas. En mis brazos percibí su fragilidad, podía rompérseme. Pero, de súbito, de aquel cuerpo endeble surgió una voz potente como una roca:

—¡Abajo Fidel! —gritó mi madre, muerta de la risa.

Nadie se volteó hacia nosotras. Aquí la gente no repara en esos arranques emotivos.

—Ésa es la frase que más deseos he tenido de gritar todos estos años. Mira, y no pasa nada, tú.

—¿Qué va a pasar, mamá? Ya no estás en Cuba.

—Hija, ¿tú crees que soy boba? Por eso la grité.

Mamá traía una maleta vieja y rota, de color rojo punzó; todavía la conservo. Dentro sólo guardaba dos mudas de ropa que daban pena, un par de zapatos gastados, unas chancletas, una bata de casa, sus blúmeres, un pomo de colonia barata, un desodorante, un cepillo, todo muy ordenado. Dos cartapacios envueltos en nailon. Intrigada, pregunté de qué se trataba. Contestó que ése era nuestro tesoro: fotos de familia, todas nuestras fotos. En un doble fondo de la maleta me traía mis diarios, y una edición de *Poeta en Nueva York*, de Federico García Lorca, y otros libros de mi biblioteca abandonada en La Habana. Ella corrigió: no, no la había dejado abandonada; la había dejado a buen recaudo, con una amiga que iría enviándole mi biblioteca entera, poco a poco, a través de turistas que visitaran Cuba y que quisieran hacernos ese favor.

Le di el cuarto principal a mamá. Se lo decoré todo de azul y amarillo, sus colores preferidos. En la pared de enfrente a su cama colgué el cuadro de Wifredo Lam. Ella lo observaba extasiada, y hasta le rezaba cada noche al Elegguá del cuadro.

Le compré ropa nueva. Yo me instalé en la sala, dormiría en el sofá. A mamá le dio pena que yo tuviera que vivir de esa manera, con la cabeza de lado todo el tiempo para no sonarme el tanganazo con el techo. Como ella era más bajita, pues podía moverse cómodamente. Y como pesaba menos que un comino podía caminar sin problemas por el centro, que no les caía boronilla a los vecinos de abajo.

Desde el primer día a mamá le encantó París. La llevé a ver la torre Eiffel y no podía dejar de mirar hacia arriba; pero cuando la obligué a hacer la cola para subir y visitarla desde el primer piso al último, puso cara apretada. Después de una hora llegamos al restaurante Jules Verne. No nos dejaron entrar porque debería haber reservado antes. Mamá me aseguró que sería la última vez que subía a esa torre *Infiel*, que ella se había jurado nunca más hacer una cola, y que ahora, mira, igualitico que en Cuba, ni lo dejaban entrar a uno en un restaurante. Le expliqué las causas, que había que reservar, demasiado tarde: siguió con el ceño fruncido. Aunque, por suerte, el encabronamiento fue pasajero, a mamá le gustó siempre esta ciudad. Todo le parecía bello, se dirigía a la gente en la calle como si hablara con cualquiera en una calle habanera, y la gente huía de ella como si estuvieran delante de una extravagante o una demente.

Una tarde me la encontré extasiada frente a la lavadora, miraba cómo la ropa daba vueltas en el interior a través de la abertura transparente y redonda.

—¡Esta lavadora es un cine, *túniña*! Es más entretenida que la programación del verano del Canal 6 de la televisión cubana. ¡*Alabao* sea Dios!

En otra ocasión me la encontré llorando emocionada mientras olía un jabón Palmolive. Hacía décadas que no veía un Palmolive. De hecho, no usaba los jabones Palmolive, me di cuenta de que los escondía debajo de la almohada, que los coleccionaba. Entonces tuve que renunciar a comprar productos que le recordaran su pasado, y así nos iba mejor. Ella descubría los jabones Cleopatra, pero por más que le dijeras que en Cuba no habían existido, ella siempre encontraba el equivalente de la marca, vendido antes de la revolución. Era como si todos estos años de castrismo la Ida los hubiera borrado: sólo existía el antes del año 1959, y la actualidad.

A mamá se le abrió el apetito, comía de todo, y engordó. No mucho, pero recobró masa corporal y colores sonrosados en las mejillas.

Al primer acto social que asistió fue a la *gay parade,* porque ella quería manifestarse a favor del PACS y del matrimonio gay. Y así ocurrió. Se puso su camiseta anaranjada, con el letrero de PACS en el frente, y nos lanzamos al bulevar Bourdon agitando las banderitas del arco iris. Mamá estaba feliz de ir detrás de la comparsa de los bomberos de París, decía ella. «Mamá —le explicaba yo—, no son bomberos, van disfrazados de bomberos.» «Te equivocas, sí son bomberos.» En efecto, lo eran, el sindicato de bomberos homos de París. La Ida, que seguimos llamándola de este modo, aunque su verdadero nombre era Aída, estrechaba la mano de todo el mundo o besaba a los manifestantes como si los conociera de toda la vida. Nunca antes yo había visto a mamá tan feliz. Entonces, de buenas a primeras, pasó la comparsa de los jubilados gays, y ella se lanzó al centro de la avenida. Se me escabulló, yo corrí detrás, pero ella iba más ligera que un guineo. Un muchacho lleno de músculos y con una tanga de cuero, medio desnudo, estiró la mano y de un tirón la montó en la carroza. Entonces, corrí, no, casi volé, junto al carromato, esperando a que me devolvieran a la Ida. Al poco rato ella misma bajó, y siempre bailando ganó la primera fila del desfile. Y yo con la lengua afuera detrás de ella.

Mamá salió en todos los noticieros del mundo entero esa misma noche, y en las primeras páginas de los periódicos del día siguiente. En la vida había recortado más periódicos: ella quería mandárselos a mi primo transexual, que era como su segundo hijo, perdón, hija, a La

Habana. Esa misma noche me pidió que la dejara telefonear a Lorenzo, digo, Loretta, a casa de la vecina, porque Lorenzo-Loretta no tenía teléfono.

—¡Oye, mira, Lorettica, no te lo podrás creer! ¡Mira, desfilé, pero no como allá, ya tú sabes! ¡Desfilé con las locas de aquí, que no parecen locas, algunas son muy hombres, con músculos y todo! ¡Y los travestis son preciosos, parecen mujeres, Lorettica, chica! ¡Qué calidad de maquillaje, la ropa, todo, todo fabuloso, exquisito! Desfilé y me acordé mucho de ti, mi hijito... —Y ahí mamá se rompió a llorar.

La Ida me pidió que le grabara los noticieros en que ella aparecía, por suerte algunos los repitieron, y pude hacerlo. Le encantaba mirarlos una y otra vez.

—¿No te diste cuenta de una cosa? —preguntó, pícara.

—¿De qué? —Yo masticaba yerbas empeñada en perder peso.

—Deja de rumiar como una vaca —me regañó—, ¿viste aquí?

Ralentizó el video con el comando de la tele; eso era lo que más le gustaba, manejar la tele con el comando.

—¿Viste lo que digo? Se puede leer en mis labios.

Me fijé bien: «¡Vi-va Cu-ba li-bre!»

—¿Entendiste? Salí gritando en una manifestación en plena calle. ¡Viva Cuba libre!

—Bueno, en ésa no te oyeron por la música. Pero ya me dirás si lo puedes gritar en una de sindicalistas en la Bastilla.

Un martes, pasábamos por la Bastilla, de regreso a casa. Había una manifestación multitudinaria. Mamá empezó a gritar a toda mecha «¡Abajo Fidel!, ¡Viva Cuba libre!». Los manifestantes seguían en lo suyo, uno se le acercó y le entregó un papel para que lo leyera, y una bandera. La Ida me pasó el papel.

—¿Sabes lo que están pidiendo? La creación de comités de defensa revolucionarios —le susurré al oído.

Ella se detuvo en seco, su cara se contrajo en una mueca de asco, y con la misma bandera le cayó a banderazos al hombre que se la había regalado. De ahí tuvimos que salir echando un pie a toda máquina.

A mamá empezaba a faltarle el aire, y se ponía muy pálida de sólo caminar apurada.

—Estoy comiendo demasiado huevo. El huevo me hace eructar, me está cayendo mal.

Mamá alcanzó la llegada de la telefonía móvil a Francia. Los franceses se pasaron años renegando de ella: que si daba cáncer, que si te podías quedar bobo. Hicieron cientos de miles de emisiones televisivas en contra de la telefonía celular. Cuando se decidieron a adoptarla, podías ver a los parisinos con tres teléfonos a la vez, uno para uso familiar, otro para uso burocrático, y el tercero para dejarse mensajes a sí mismos a modo de agenda. Los teléfonos, al inicio, tenían la medida aproximada de un comando de televisión.

Estaba lloviendo, iba apresurada por el muelle de Célestins, me dispuse a hacer una llamada. Empecé a teclear en mi nuevo teléfono, no funcionaba. Finalmente advertí que lo que aprisionaba en la mano era el comando de la tele. Por suerte me hallaba a poca distancia de casa. Regresé. Mamá se encontraba repantigada en el sofá, con mi móvil en la mano, tratando de encender la tele.

—¡Este aparato es una basura! ¡O se le acabaron las pilas! ¡O qué sé yo! —lanzó el telecomando al cesto de la basura.

Le enseñé bien los dos aparatos, para que supiera diferenciarlos y no me echara más en el bolso el telecomando en lugar del teléfono. Mamá era todo un caso, pero estaba más clara que el agua...

Al ver a la Sabandija Cubana por primera vez me dijo:

—Esa mujer es fulastre. ¡Aléjala de tu vida!

—No es una mujer, mamá, es un hombre, y claro, sé que no es de ley...

—Eso ni es mujer, ni es hombre, ni es homosexual, ni transexual, ni es nada, ¡eso es el diablo!

En otra ocasión, nos tropezamos con la Sabandija Cubana en el restaurante Mi Cayito, en Montorgueil.

—Ahí está la Sabandija. Ahora anda disfrazada de ve tú a saber qué... ¡Eso es retama de guayacol, un bicho malo! ¡Morralla pura es eso, *siá cará*! —Le dio un repeluco y se estremeció de pies a cabeza.

Ese día la Sabandija ya no era la mulatica lesbiana, sino que se había metido en el papel de la pájara amable y seductora.

—¡Ay, señora, cuántas ganas tenía de conocerla!

—Yo ninguna —masculló mamá, y dejó a la Sabandija con la mano estirada.

Tuve que darle un codazo y pedirle que fuera más amable.

—¿Con las sabandijas? ¡Jamás! Hazme caso, no le des entrada.

Mamá se negó a participar en las reuniones del consejo de vecinos, lo que la convirtió a los ojos de los demás en un ser extravagante (déjenme cuidarme de las palabras, no vaya a ser que tenga que borrar estas dos últimas por culpa de alguien que quiera cobrar sus quince minutos de fama).

Por cierto, la Ida alcanzó una envidiable celebridad, y eso, sin ella proponérselo. En poco tiempo el Marais y sus adyacentes la conocían, porque hablaba con todo el mundo, y se convirtió en una suerte de maestra ambulante. Se dedicó a enseñarle palabras en español y hasta dichos cubanos a la panadera, al carnicero, al quesero, al lechero. Le dio por comprar ramos de flores de todos colores. El lunes, blanco y rojo para Elegguá; el martes, azul para Yemayá; el miércoles, violeta para Babalú Ayé; el jueves, amarillo para Oshún; el viernes, blanco para Obbatalá; el sábado, amarillo y azul para los Ibeyes; el domingo, rojo para Changó. No se trataba de que cada día estuviese dedicado a una divinidad yoruba, a ella le daba igual los días que cada uno tuviese asignado, ella ya había hecho su propia selección. La florista la adoraba, se ponían a hablar bien de Cuba y mal de la dictadura; era un pacto entre ellas. Mamá le presionó desde el primer día:

—Yo a usted la dejo hablar bien de Cuba si me permite que hable mal de la dictadura.

La señora soltó una carcajada. Mamá, aclaro, sólo hablaba en español. Era increíble, la gente que jamás en la vida me había querido ayudar cuando yo me trababa con mi francés, y que yo suponía que no hablaban ni una palabra en castellano, ahora se desataban a chapurrearlo con ella.

—¡Ay, qué simpática es su mamá! —me dijeron el sastre y el vendedor de perlas—. Usted se parece a su papá, ¿no?

Ahí me quisieron decir que qué pesadita era yo. Mamá siempre me estaba metiendo manotazos:

—Te me has puesto muy arisca en este país. Sonríe, que a la gente le encanta ver a los demás sonreír. Sobre todo hay que sonreírles a estos franceses, los pobres, que la guerra dejó tan tristones.

Un año después de estar mamá conmigo me dieron a mí la carta de residente y a ella su asilo político.

El día que fuimos a presentar la demanda de asilo político de la Ida nos sentaron en un banco a esperar junto a otros aspirantes. Habíamos tenido que hacer una larga cola, desde las seis de la madrugada, bajo un frío que pelaba. Mamá ni chistaba a causa del frío, pero lo que era por la cola había que oírla:

—Yo que me juré que jamás, jamás, haría una cola de éstas. ¿Cómo es su nombre? —En lugar de dirigirse a mí, se dirigía al africano delante de ella.

—Keyta, mi nombre es Keyta. ¿De dónde es usted, señora? —preguntó el africano en perfecto español.

—Yo me llamo Aída, pero me dicen la Ida. Soy, figúrate, hijo, de Cuba, de aquella isla putrefacta, ¿y usted?

—De Luanda. ¡Yo estudié en Cuba!

Mamá puso cara seria.

—¿Y a usted le gusta Fidel? —Ésa era la pregunta inevitable, la cuestión termómetro que ella soltaba para tomarle la temperatura política a la gente.

—¡No, qué va, señora, yo salí huyendo de allí, mucho racismo! Y eso que yo era un becado privilegiado. Pero tenía que hacer malabares para comer. Y me metí en el mercado negro, ¡por nada me meten en cana, *p'al tanque* de cabeza!

Mamá lo abrazó.

—¡Tú eres de los nuestros! —Hizo una pausa, olisqueó el aire—. Keyta, hijo, acá venden unos desodorantes buenísimos, el Roc, te lo recomiendo con los ojos cerrados.

Me quise morir de vergüenza. Es verdad que el grajo del africano cantaba *La Marsellaise*; nada más que por eso podrían haberle dado la nacionalidad francesa.

Pero al rato nos separamos de Keyta, cuando nos sentaron en el banco nos tocó junto a un muchacho bastante serio, trigueño, ojos negros. Rogué por que mamá se quedara callada, pero los dioses, ni las vírgenes, jamás oyeron mis plegarias en relación a ese tema.

—Ay, usted se me parece a alguien que yo conozco. —El hombre, en la treintena larga, la miró de reojo—. ¿Es usted cubano?

Para ella, cualquier persona medio trigueña, de ojos negros y bronceado por el sol tenía noventa y nueve papeletas para que fuese cubano.

—No, señora, soy colombiano.

—¿Y usted conoce a Albertico Pujol? —preguntó en su tono familiar, yo quería que la tierra me tragara.

—Mamá, ¿cómo va a conocer él a Albertico Pujol?

—Es colombiano, y Albertico Pujol se hizo famoso en Colombia con las telenovelas. ¿Cómo no va a conocer a Albertico Pujol, tan buen actor, hijo de artistas? —Me reviró los ojos y se volvió al vecino—. ¿Usted no ve telenovelas?

El hombre negó con la cabeza. La Ida lo miró como si fuera un marciano. Se viró hacia mí.

—Éste está raro, no ve telenovelas. —Se viró de nuevo hacia el hombre—. ¿A usted le gusta Fidel?

¿Qué Fidel?

—El que manda en Cuba.

—¡Ah, el Comandante! —Al colombiano se le iluminó la cara de dicha.

Mamá se separó de él como si una llaga leprosa le supurara en el centro de la cara.

—Te lo dije, que estaba raro. No sabe quién es Albertico Pujol, no ve telenovelas, y le gusta Fidel. ¡Éste es un pichón de guerrillero de las FARC! Cambia conmigo de asiento, anda, cambia conmigo.

Tuve que sentarme entre ella y el supuesto guerrillero de las FARC.

—¡Qué desperdicio de muchacho, porque hasta guarda un cierto parecido con Albertico Pujol!

Menos mal que al rato nos llamaron. Nunca había yo asistido a una entrevista más corta. Nos tomaron los papeles; los antecedentes penales de la Ida había tenido que sacarlos de Cuba y traducirlos, lo que me costó un dineral. La única pregunta que le hicieron a mamá fue:

—¿Cuáles son las razones por las que usted pide asilo político? —la mujer se dirigió a ella en español.

—Mi país era un país maravilloso, y Castro lo convirtió en una cárcel. Mi marido murió loco por culpa de Castro. Pero antes jaló cuatro años de prisión. Desde entonces no paré de pintar en las paredes de La Habana: «Abajo Fidel.» Lo hacía con una amiga que me acompañaba, su hijo era disidente. Un día le dieron una paliza a ella y al hijo; ella murió a la semana siguiente, a consecuencia de los golpes. A mí me interrogaron dos veces en Villamarista. No me gustan las dictaduras.

Mamá habló rápido, pero firme. Ni siquiera a mí me había contado esta historia. Mamá habló con las pupilas fijas en las de la mujer. Era una funcionaria bastante seca, por cierto. A la mujer se le salió una lágrima que se enjugó rápidamente.

—Yo estuve en Cuba en el año 94, de turista. Soy testigo de la manifestación del 5 de agosto —murmuró la tiesa señora, ahora menos.

Estrechó la mano de mamá y la mía, nos informó de que deberíamos esperar la entrevista con la OFPRA, y que entretanto la demanda de asilo seguiría su curso. Fue todo, su voz volvió a tronar en la sala:

—*Suivant!*

—Es un poco gritona, pero me cayó bien —comentó mamá al salir.

—Mamá, lo que contaste de que escribías en las paredes..., ¿es cierto?

—Claro, niña. ¿Por qué iba a mentir?

—¿Y cómo nunca me lo contaste?

—¿Para qué iba a preocuparte? Y ahora tú y yo tenemos cosas más felices de las que hablar. ¿Cuándo te vas a casar y darme nietos?

Ésa era la pregunta predilecta de ella hacia mí.

—No he encontrado al hombre de...

—El hombre de tu vida no existe. No existe el hombre de la vida de ninguna mujer. Me cae bien Fidel Raúl, es bueno, trabajador, cásate con él. El nombre es lo único que tengo en contra. Ah, y que es un poco bambollero, igual a tu padre.

—No, es sólo un buen amigo.

—Se babea contigo.

—Tú sabes que yo quiero a una sola persona.

—El Nihilista. Tendrás que esperar a que lo dejen salir de Cuba. No creo que eso ocurra pronto.

A mamá no le gustaba el Nihilista, pero lo prefería mil veces al Traidor.

—¿Has sabido algo del Traidor? —preguntó la Ida sólo por *politesse*.

—Nada, mejor así. Desapareció como mismo lo hizo el Lince.

—Sí. Mejor así —repitió ella mientras se detenía a sopesar unas naranjas en un mercado árabe.

»Mira esto, igualitas a las naranjas que había antes en Cuba. ¡Qué va! En Cuba eran más grandes y más jugosas. ¡Mi amor, ven acá! ¡Qué indiecito más gracioso! ¿Cuánto cuestan esas naranjitas?

El árabe fue hacia ella sonriente.

—Tres euros el quilo, amiga —respondió en español a quien él acababa de ver por primera vez en su vida y que ya lo llamaba «mi amor».

—Déjamelas en dos cincuenta, mira que acabo de pedir asilo político y estamos en la fuácata mi hija y yo.

Mamá era así, a todo le sacaba lasca y rebaja. El árabe terminó por saldarle las naranjas.

Al doblar la esquina, mamá le puso los cincuenta céntimos en la palma de la mano a una anciana pordiosera.

—A ella le hace falta, chica, mucha falta. Saca un euro y dáselo, no seas tacaña.

Si por mamá hubiese sido, yo habría tenido que dar limosna a todos los mendigos de París.

En el edificio, los vecinos empezaron a apreciar, no, a adorar, a la Ida, aunque ella se empeñaba en cambiarle los hábitos a la gente: no podía entender por qué Funchal e Hinojosa pintaban de madrugada, si con la luz del día se veía mejor; tampoco entendía la actitud ecologista de los noruegos, ellos serían muy ecologistas, pero a los chiquillos los tenían como dos bolas de churre. «¿La higiene está reñida con la ecología?», se preguntaba la Ida, y encontraba que tomar agua hervida del Sena era mucho más puerco que beberse una copita de vino tinto. Yo intentaba explicarle que en Francia la gente hacía lo que le daba la gana, que nadie se metía en la vida de nadie. Ella respondía que no se estaba metiendo en la vida de nadie, que sólo aconsejaba con toda la buena fe del mundo. Porque, a ver, ¿cómo alguien podía estar todo el santo día emporrado con dos hijos jugando al pie de una perra que era más fiera que una leona? Y a la Pliseskaya, que tuviera cuidado y se fuera buscando un amante de repuesto, porque Petro era demasiado violento, y de eso, no dudaría nada, si seguían dándose esas entradas de golpe de las que todo el barrio estaba al corriente, pronto acaecería el drama fatal. Aunque, la Ida recapacitó, igual lo que les gusta a ambos es entrarse a tortazos de vez en cuando. Yo asentí para seguirle la cuerda y no contradecirla, ya que, cuando lo hacía, se iba a su cuarto, se encerraba enfurruñada y no comía en tres días. Entonces se ponía a extrañar su refrigerador, un viejo General Eléctric del año 52, que era lo único que ella echaba de menos. Por culpa del ruidoso aparato tuve que comprar un refrigerador de la misma marca, pero moderno, del que ella desconfió siempre porque no estaba construido del mismo material pesado y se veía, según ella, «baratico».

La Ida vivió meses de mucha tristeza. Extrañaba también a la gente de Cuba, aunque para nada el país.

—Ese país está maldito. ¿Cómo quieres que lo extrañe? —contestaba cuando yo, o alguien, le preguntaba sobre si sentía nostalgia.

Pero le faltaba su sobrino Lorenzo-Loretta, sus amigas, y también aquello de «forrajear» por las calles, como decía ella. Entonces ponía el CD de Andrea Bocelli a todo trapo, y a llorar se ha dicho. Verla así me partía el alma. Sin embargo, al rato se daba cuenta de que me desestabilizaba emocionalmente, y se componía, se soplaba la nariz con el pañuelito de encaje (nunca le gustaron los *kleenex*), y soltaba un tajante:

—Bien, se acabó, ya lloré lo que iba a llorar. Media hora de llanto es una buena cuota de lágrimas perdidas, ni poco ni demasiado. Me voy a poner una lavadora.

Por esos días Funchal se había echado una novia argelina.

—Esa muchacha sí me gusta, no las demás pelandrujas que andan contigo —se atrevió a comentarle la Ida—. Se ve decente, y tiene cara de princesa árabe, como la de *Las mil y una noches.*

—Es que lo es, es árabe —contestó Funchal.

—Ahora sí que harás retratos preciosos. Porque esas novias tuyas que tú pintabas, chico, qué feítas eran, qué desteñidas. Pero Yasmina es un encanto, y muy bonita.

Jamás pudo llamar a Jessica por su nombre, siempre le dijo Yasmina, porque según ella se parecía a la princesa del dibujo animado de *Aladino y la lámpara maravillosa.*

Sherlock Holmes la acompañaba a las tiendas. Marcel *Lapin* le dedicaba tiempo para que aprendiera a preparar las innumerables salsas francesas. La Ida también le enseñaba a cocinar comida cubana. Migdalia y ella se ponían a chismear del vecindario, aunque cuando ella regresaba siempre me comentaba:

—Mira que a esa maestra le gusta el brete. No voy más a su casa, que yo no vine a Francia en un avión de Air France para que me metan en los líos ajenos.

—Mamá, tú viniste en Cubana.

—Fletado por Air France —rectificaba.

Hinojosa pintó a mamá. La retrató en un óleo inmenso, con traje de chaqueta y falda, estampado en rosas rojas. La Ida no sabía de qué manera agradecerle, y le limpió toda la casa, que la tenía —según ella— llena de pinceles y bastidores regados por doquier, e incluso le tejió un pulóver para el invierno, con los colores y los motivos de uno de sus cuadros, que por supuesto Hinojosa se lo ponía sólo cuando nos visitaba, porque mamá lo tenía seco con que no se ponía el pulóver que ella le había tejido:

—A ti no te gustó el jersey de estambre que te hice, nunca te lo veo puesto para salir para la calle. Sólo te lo pones cuando vienes aquí.

Hinojosa se excusaba mil veces, pero es que le daba vergüenza salir con un cuadro suyo tejido en el pecho.

—Peor son los que salen con la cabeza del Che, ésos sí son ridículos.

—Es la moda.

—Pues pon tú la moda de mis pulóveres tejidos con tus cuadros, verás que nos hacemos millonarios.

Para la Ida lo máximo era ser millonario. Como para la mayoría de la gente, lo que pasa es que no lo confiesan con la ingenuidad que ella lo hacía.

—Deja de escribir tanto y hazte millonaria, muchacha, que eso es lo que da prestigio de verdad —me decía mientras se empinaba un Yoplait, la marca de yogur que más le gustaba.

La única persona que despreció a la Ida fue la Sabandija, aun cuando hipócritamente la invitaba a salir. Mamá siempre rehuía, el desprecio fue mutuo, sólo le aceptó un almuerzo un domingo de invierno. Nevaba, y la Sabandija (esas dos personas en uno) llevó a la Ida al Hippopotamus. Al regreso, la Sabandija le faltó al respeto a la guardiana del inmueble, la tildó de oportunista y la trató de *grosse cochonne!* (puerca gorda), y por nada no terminaron detenidos en la comisaría. Yo me encontraba de viaje. La Ida me lo contó todo a mi regreso:

—No salgo nunca más con la Sabandija Cubana. Por un tilín así no nos meten en el tanque. El comemierda este se puso a gritarle groserías a la guardiana, y en francés. Yo apenas entendía. Traté de aplacar, pero no hubo forma. La guardiana telefoneó a la policía, y ahí mismo se puso peor la cosa. No quiero volver a ver a la Sabandija ni en pintura.

Después me enteré de que la Sabandija se burlaba de mi madre, y que la maltrataba argumentando que era una pobre analfabeta, y una borracha. A la Ida siempre le había gustado el trago, y se metía sus cañangazos con los vecinos, a escondidas mías, porque yo no la dejaba beber.

El Dramaturgo estaba sumamente emocionado de haberla conocido, porque se volvía a reencontrar con aquellos personajes de sus obras, los que había escrito en Cuba. Y servía de traductor entre la Memé de noventa y nueve años y mi madre.

En el último piso existía un ático que todos creíamos que estaba vacío. Averiguando para alquilar un espacio donde mi madre pudiera recibir a quien ella quisiera, pues a veces yo llegaba y me la encontraba que le había colado café a un vendedor de alfombras, supimos que allí vivía un prófugo; así le llamó la anciana.

—Este señor te está esperando, no le entiendo nada de lo que dice, pero le hice café.

—Mamá, no le puedes abrir la puerta así a la gente. Es sólo un vendedor de alfombras.

—Ay, como en las novelas de Pierre Loti, ¡qué fino! —Y trataba al vendedor de alfombras como si estuviera frente al rey de Marruecos.

En diversas ocasiones, le hizo un arroz con pollo al deshollinador de la chimenea, le regaló unos jabones al contador del agua, y una caja de talco al vidriero. Me dije que tenía que solucionar esa necesidad de calidez humana que padecía mi madre de inmediato, y la mejor solución era conseguirle un espacio, una especie de oficina de la solidaridad, para que ella hiciera las amistades, relaciones o encuentros fortuitos que quisiera sin que yo la perturbara, y ella a mí tampoco. Pregunté a la Memé por el ático del último piso. La Memé nos informó —la Ida estaba presente— de que ahí vivía un anciano que no salía nunca, encerrado desde la segunda guerra mundial. Mamá se llevó las manos a la cabeza:

—¡Y no se ha enterado de que el fascismo se acabó! ¡Esa película yo la vi! ¡Con Annie Girardot! —se alarmó la trágica Ida—. ¡Tenemos que sacarlo a coger sol!... Bueno, ¿qué sol? Es un decir, un suponer...

Le grité a la Memé en el oído que me explicara con lujo de detalles el caso.

—No, él se entera de todo. Sólo lee los periódicos. Tiene el ático lleno de periódicos desde el año 37 hasta la fecha. Cuando entras sólo puedes desplazarte por una carrilera estrecha hacia su cama, donde se encuentra postrado, a ambos lados se amontonan columnas de periódicos viejos. De vez en cuando alguien viene y le trae comida, pero él no sale jamás. Cuando me doy cuenta de que demoran en venir a verlo, entonces subo y le llevo algo de alimento. Está muy enfermo.

Si bien no le traduje todo a mi madre, ella pudo adivinar que algo raro acontecía. Le pidió a la Memé la llave del ático y subimos las tres a ver al señor Mihanovich, que se hallaba acostado, con los ojos fijos en el techo, su cuerpo raquítico envuelto en una sábana mugrienta. Sonrió tristemente con las pupilas vidriosas. A su alrededor —tal como nos había anunciado la Memé— sólo había periódicos amarillentos, que con toda evidencia leía y releía. Apestaba dentro a rayo encendido, a orine, a caca. Mamá se puso los guantes plásticos que siempre llevaba en la cartera y puso manos a la obra. En menos de tres días limpió el ático; el baño daba grima, pero ella y yo lo dejamos reluciente. Bañamos al señor Mihanovich, le compramos ropa nueva, lo pelamos. Le hicimos una sopa de pollo, y a partir de entonces cada día le subíamos su almuerzo y su cena. Para si se despertaba por la noche le dejábamos una manzana. Y mamá desayunaba con él. No tenía familia, toda había muerto en un campo de concentración. Se llevaron primero a sus padres. Su hermanito estaba en la escuela, en el colegio Neuve Saint-Pierre, ahí lo fueron a buscar junto con otros niños. Él se salvó, porque ese día no había ido a la escuela, su madre lo había enviado al zapatero a arreglar los zapatos del padre y los suyos. Cuando regresó a casa no encontró a nadie, se dirigió a la escuela y le contaron lo que le había sucedido a su pequeño hermano y a sus padres. Paul Mihanovich anduvo escondido durante la ocupación nazi por los tejados y en los sótanos. Después de la liberación se puso a trabajar, siempre dentro de su casa. Tuvo una novia a la que conoció porque ella era mensajera de la resistencia. Se casaron, ella no le dio hijos, y murió joven. Después de la muerte de su esposa, él se encerró todavía más, aunque había salido a la calle muy poco.

La Ida se enteró de su historia por la señora que iba a verlo de tiempo en tiempo, una trabajadora social guadalupena. Sin embargo, poco a poco, Paul Mihanovich fue abriéndole su corazón a mi madre, y la hizo su confidente. Ni siquiera me decía a mí las cosas de índole íntima que le contaba a la Ida. De este modo, volvió el invierno. La Ida acababa de ver la película *Shoah* por enésima vez, mientras le daba cucharadas de caldo caliente al enfermo, y comentaba: «Todos los dictadores son iguales, todos», y enjugaba sus lágrimas con la punta del delantal.

Una tarde, después de merendar, mi madre estaba leyéndole una novela de Jean Rhys al señor Mihanovich —no es que a él le gustaran este tipo de lecturas, pero mi madre deseaba de cualquier manera iniciarlo en la literatura de Jean Rhys— cuando ella empezó a sentir una emanación gélida, química, como si se hubiera roto un frasco de mercurocromo o de algún otro medicamento. Mamá destapó sus piernas de la manta de lana, se levantó, dejó el libro encima del butacón y empezó a buscar por todos los recovecos de la casa, el baño, el botiquín, la cocina, el armario donde se guardaban los artículos de limpieza, debajo de las alfombras, el armario de la ropa, pero la extraña emanación la condujo hacia la cama. Entonces reparó que la manzana había rodado de la mano del anciano por su pecho y, a la altura de la cadera, había caído al costado derecho. Mamá observó el rostro de Paul Mihanovich, parecía de cera. El olor provenía de su cuerpo, enjuto, las mejillas caídas, los párpados morados.

—Así que de este modo huele la muerte en Francia... En Cuba no, en Cuba huele como si se te hubiera quemado un dulce de leche, es algo siniestro —suspiró mamá.

Bajó la escalera, entró en la sala de la casa. Yo me encontraba traduciendo un texto para el catálogo de una exposición de una pintora mexicana.

—Ven, rápido, *Pol* ha muerto... No te me quedes mirando como una energúmena, hay que llamar a Genoveva...

Geneviève se llamaba la trabajadora social, pero su nombre la Ida jamás supo pronunciarlo correctamente, por lo que se lo españolizó al instante. Genoveva no tardó ni media hora; los de urgencias, el SAMU, muchísimo menos. Mamá se encargó del más mínimo detalle, entendiéndose con todos en español. Yo sólo atinaba, aturdida, a traducir algunas porciones de frases.

—Bien, cumpliremos su voluntad, la cremación, tal como dejó en el testamento, pues la cremación se le hará... Pero yo soy alérgica al polvo, a las cenizas, ni con las de tu padre me pude quedar... Pobre, tu padre, lo dejé solo, en aquel cementerio inmundo.

Hicimos la cremación de Paul Mihanovich. Legó una herencia del equivalente en euros de cuatrocientos mil francos y su apartamento a una familia lejana de su mujer que vivía en Israel y que ni siquiera había visto nunca. Ellos tampoco sabían de su existencia. Pero mamá, Genoveva y yo nos ocupamos de todo. Mamá, más que nadie, averiguó detalle a detalle acerca de los herederos. Ella fue quien más se lo tomó a pecho. Durante la cremación encendimos un candelabro judío, le pedimos al vendedor de quesos que leyera fragmentos de la Torah, otros fragmentos de Primo Levy, unos niños del barrio cantaron canciones en yiddish, y volvimos a casa acompañadas de los vecinos en un silencio sepulcral, tal era el caso, y con un jarrón de porcelana lleno de cenizas que debíamos entregar a la familia israelí cuando ésta llegara para los trámites de la herencia. Aunque el hijo mayor de la familia nos acompañaba, temía quitarnos el búcaro, al que nos aferrábamos no sin gran amargura. Finalmente sus padres, muy ancianos, pudieron viajar, y todo quedó en manos de un abogado, quien les hizo entrega del jarrón con los restos de Paul Mihanovich dentro.

Entonces tuve que rellenar el vacío que Paul Mihanovich había dejado en mi madre, y empecé a llevarla a visitar iglesias. La que más le agradaba era la Milagrosa, humilde, y siempre nos encontrábamos con algún cubano devoto de la santa.

Una mañana, a la salida de la iglesia, me pidió dar un paseo o ir al cine. La dejé en el cine mientras yo me iba a hacer unas gestiones. No invertí demasiado tiempo, y a la hora entré en la sala de cine a buscarla. La película estaba llegando a su fin, mamá sostenía la perga de rositas de maíz intacta en la mano, tampoco había bebido la botella de Coca-Cola. Me susurró que le dolía mucho la pierna derecha. Empezaron a pasar en la pantalla los créditos finales, mamá hizo un gesto de dolor al tratar de levantarse de la butaca. Se apretó el costado, dijo que le dolía mucho ahí.

Al día siguiente tenía la presión arterial muy alta. Hacía sólo seis meses de la muerte de nuestro vecino, pero mamá había quedado muy impresionada, aunque no lo confesaba. La llevé al cardiólogo, no tenía nada en el corazón. Le mandaron análisis, había una alteración bastante evidente. Cáncer de hígado, le quedaba un año de vida máximo. Todo esto me lo dijo el médico en francés. Ella no paraba de preguntarme qué decía el médico. Tragué en seco.

—Aparte de la cirrosis hepática y de la hepatitis C, su madre tiene un tumor del tamaño del hígado, no hay nada que hacer. No entiendo cómo esta señora puede caminar, ¡qué energía!

Traduje lo de la cirrosis y lo de la hepatitis, pero no lo del tumor, mucho menos lo de su muerte cercana.

El médico le mandó nuevos análisis, un tratamiento, y anunció que debía prepararme para lo peor. Que adelgazaría mucho, que dejaría de comer, que vomitaría sangre... Por nada me pongo a llorar. No, no podría soportar la muerte de la Ida. Pero me contuve, es increíble lo que puede la muerte, el coraje que le entra a uno. Se me estaba partiendo el pecho en dos mitades, y sin embargo le tomé la mano a mami y la saqué de allí.

—Fíjate, te voy a decir algo —me detuvo por el codo en medio de la acera—, si tengo algo malo no quiero saberlo. Yo sé que será duro para ti, pero prefiero que la vida vaya hacia delante...

Entonces saqué fuerzas de no sé dónde y le aseguré que no, que nada malo tenía, que sólo era la cirrosis y la hepatitis C, que ya era crónica, que tendría que cuidarse mucho, descansar...

—Sí, estoy cansada, llévame a casa. Ese doctor es un salvaje, me ha batuqueado demasiado el vientre... —Su rostro se puso verdoso, le faltaba la respiración.

Llegó a casa y se acostó. A partir de entonces mamá salió poco, sólo permanecía en la cama; los medicamentos la fatigaban, aunque no perdió el apetito. Y, a decir verdad, no se perdió unos cuantos bailes a los que la invitaron, pero después pasaba días enteros sin poder abrir los ojos.

Yo lloraba en la calle, nadie sabía nada. Yo lloraba sola, en la iglesia de la Milagrosa; entonces, le pedí a la santa que no la hiciera sufrir, que si tenía que irse que permitiera que se marchara sin dolor, que acabara todo con dignidad.

Escribí una carta al Nihilista: «Mi madre se muere y no le he dicho nada.» Él me respondió en seguida a través de unos turistas que trajeron la carta, con los que me cité en el café Francés. Me dijeron que encontrarían un modo de sacarlo de Cuba, que si yo podía correr con los gastos ellos intentarían conseguirle una invitación. Les aseguré que no habría problemas al respecto, que me dijeran cuánto había que pagar. El Nihilista, muy afectado, me escribía que nunca había sentido tantos deseos de estar a mi lado como en ese instante. No pude enseñarle su carta a mamá.

Quiso el destino que, el día en que mamá se puso a vomitar coágulos de sangre, a quien encontró en el patio fue a la Sabandija, en ese momento transformada en rata, o sea, en su personalidad de mulata ratonil. Ella había sido quien, en una de mis ausencias, le había pedido a mi madre que dejara de tomar una de las medicinas, argumentándole que eso no servía de gran cosa: un coagulante y antiinflamatorio. No demoré mucho. Cuando llegué, mamá estaba muy asustada, había limpiado las paredes salpicadas de sangre, y me contó cómo había sido. Llamé al médico, no quedaba mucho tiempo, una semana máximo. De un año que me había prometido el especialista, sólo habían transcurrido tres meses. La Sabandija Cubana había adelantado la muerte de mi madre, y yo no tenía pruebas para acusarla. Pero era tan grande mi dolor por la pérdida de la Ida que ni siquiera tuve tiempo para albergar odio.

En esos tres meses la Ida había salido a bailar unas cuantas veces con la Pliseskaya y con el brasileiro. Ellos, sin que yo les dijera nada, percibieron lo mal que yo la estaba pasando, y la decadencia de la Ida.

—¡Mamá, te quiero mucho! —La abracé en la cocina, el día en que llegaron unos medicamentos que se compraban por Internet, en China, un brebaje salido de unas raíces que aseguraban que eliminaba el cáncer de hígado. Un timo. Los medicamentos llegaron, ella los tomó, pero nada, no había nada que hacer.

—Yo, como tu padre, tampoco quiero cremación, me entierras aquí. No me mandes para Cuba, no quiero estar en aquel cementerio, además de que no poseo panteón familiar en La Habana. El panteón se encuentra en Santa Clara. No te daré esa lata, ni a ti, ni a Lorettica, tu prima...

—Mamá, no hables así, te curarás, ya lo verás...

Pero ella intuía lo peor, y yo lo sabía.

El día en que empeoró la llevé al hospital. Entonces fue apagándose, su mano abandonada dentro de la mía latía lento, hasta que se convirtió en una especie de peluche tibio. Quiso decirme algo pero no pudo, sólo musitó: «¡Me estoy muriendo, me muero!», y nada más. Se fue yendo en un silencio roto en esquirlas hirientes. En el instante en que dejó de respirar, rompió a llover con un aguacero torrencial, un aguacero habanero. Le recé un avemaría, recé varias avemarías... No tenía idea de más nada, cerré los ojos, lloré hacia dentro, muy hondo. No tenía la menor idea de cómo iría a enterrar a mi madre. Su cuerpo quedó solo en el tanatorio, mi madre allí, solita, entre muertos franceses. Corrí a la casa a buscar ropa, un vestido azul de florecitas, una manta amarilla... El Dramaturgo y su esposa me aconsejaron, me ayudaron. Hice todos los trámites, como si el Nihilista estuviese a mi lado, como si estuviese acompañada por alguien que se ocupaba de mí, y que me sostenía cuando pensaba que iba a desmadejarme. ¡Olvidé la ropa interior y los zapatos! Los muertos no necesitan zapatos, de este modo pueden cruzar mejor el gran río y regresar a China, me decía la Ida. De origen chino, su padre le había advertido que a los chinos no se les enterraba con zapatos... ¡Yo los olvidé! ¿Qué otra cosa olvidé? La ropa interior. Puse una carta entre sus manos, un dibujo de cuando yo era niña que ella guardaba con celo. Puse un beso en su mejilla. Los de las pompas fúnebres me clavaron con los precios, pero a esa hora ni deseos de discutir tenía. Puse todos mis ahorros en el funeral de quien me dio la vida. Aída, *la Ida*, descansa en el cementerio de Père-Lachaise, a unos pasos de la escritora Colette y de la familia Gaultier. Siempre que puedo le llevo un naranjo, le rocío la tumba con un buche de ron, le pongo música de Celia Cruz. Hace poco, un barítono cantaba a Verdi a los pies de una tumba. Yo, en la de mi madre, apreté el botón de la grabadora; la voz de ceiba de Celia Cruz derritió la nieve. En días oscuros de invierno, me destroza el corazón saber que mi madre, una cubana como pocas, está enterrada en una tumba parisina, rodeada de una tierra extranjera y de desconocidos. Pero, al menos, tengo la certeza de que ella está ahí dentro, y de que no me la han sacado para hacer brujerías con sus huesos ni para robarle la dentadura postiza. Al menos pude darle en sus últimos años lo mejor que pude, y un entierro decoroso.

Fidel Raúl apareció cuando todo había terminado. No era su culpa, había tenido que hacer un largo viaje por América Latina a consecuencia de unos negocios, explicó. Sintió enormemente que mi madre falleciera, y que yo me hubiera metido sola todo, la enfermedad, el entierro. No le creí ni un segundo porque, después de que mi madre se fue, se me hizo un fondo como un pozo, donde empecé a tirar palabras y situaciones. Como si ya la vida fuera sólo eso, un camino hacia el fin, y el cuerpo un saco vacío en donde se lanzan los acontecimientos, las anécdotas pasajeras, el todo cotidiano, como bolitas estrujadas de papel.

¿Cómo pude escapar de mi estado depresivo? ¿Cómo conseguí espantar la melancolía? No he huido de ella totalmente, no creo que lo consiga nunca. Caminaba por París, desde la Bastilla a todo lo largo del Sena, atravesaba la isla Saint-Louis, bordeaba Notre-Dame, el Barrio Latino, la plaza Saint-Michel, el bulevar Saint-Germain, abría la novela *Cuarteto* de Jean Rhys o *Tristes trópicos* de Claude Lévi-Strauss, y pasaba horas en el café de Flore o en el Deux Magots. Así empecé a escribir otra novela, una segunda novela de quinientas páginas, y las lágrimas caían sobre las hojas del cuaderno mientras recordaba las palabras de desánimo de la Ida: «Escribir no te llevará a ninguna parte, en cuanto tengas dinero monta una peluquería o un restaurante. Siempre habrá gente que tendrá que cortarse el pelo, y por supuesto que para un restaurante siempre tendrás clientes, por muy malo que sea, por el aquello de que el que no come se tuberculiza.»

Una sombra se impuso entre el cristal del ventanal y yo, estaba escribiendo lentamente una historia que transcurría en la isla de Praxos, una isla inventada. Tenía frente a mí otra vez a Fidel Raúl, se sentó, pidió una cerveza. Yo pedí otro café *noisette;* las tripas sonaban en mi estómago estragado y no me animé a acompañarlo con la cerveza.

—Vengo a pedirte en firme que nos casemos, quiero tener hijos contigo. Pero, además, quiero que lo hagas con conocimiento de causa, y quiero contarte algo, muy importante para mí...

Le puse un dedo en los labios. No quería casarme con nadie, y menos con él. «Estoy todavía enamorada del Nihilista, lo estaré toda la vida», le confesé serenamente. Además de que no deseaba ser testigo de secretos que nos obligaran a debernos fidelidad eterna.

—Entonces, ¿te gusto o te caigo bien? Dime algo, chiquita, porque no puedo estar en esta bobería, rompiéndome la cabeza...

—¿Te prometí algo? —lo paré en seco.

Negó con la cabeza.

—Entonces, déjame tranquila, me agrada ser tu amiga, sólo eso. Por el momento sólo eso, pero si te urge tener mujer e hijos, búscate otra, o vuelve con la que ya tenías.

—No, pero yo quiero que sea contigo —protestó, encaprichado.

—Pues no podrá ser, porque yo no quiero —Bajó la mirada.

Por primera vez lo vi verdaderamente apenado, le di unas palmaditas en el hombro. Me pasó el brazo por encima, y me acurruqué a él y lloré con mucho sentimiento, con la cabeza hundida en su pecho.

—Vamos, te llevo esta noche a bailar a La Coupole.

¿Por qué no? Me puse un vestido de guinga negro y blanco y unos zapatos de tacones altísimos, me maquillé y me puse encima un visón que me había prestado la nueva inquilina que se había mudado para la buhardilla del sexto piso del frente del inmueble. La nueva inquilina contaría alrededor de cincuenta y tantos años, pero aún era muy bella, rubia, de grandes ojos azules, boca invariablemente pintada de rojo. Había sido una cantante y actriz sumamente célebre en Polonia, durante la época comunista. Poseía viejos y caros vestidos y abrigos con los que la cortejaban los dirigentes; bajó a pedirme un poco de miel (la manía de pedirse cosas prestadas es de gente que ha conocido el comunismo), justo en el momento en que estaba vistiéndome. Le regalé un pote de una miel exquisita, hecha en casa, y se quedó tan emocionada que bajó de nuevo con el abrigo de visón para que lo usara esa noche. Milena era muy amable, hablaba francés sin acento, y buscaba desaforadamente un hombre rico para casarse.

Le conté que esa tarde había recibido una proposición de matrimonio, pero que el hombre de mi vida se había quedado en Cuba. Me interrumpió sumamente alterada:

—No desperdicies tu oportunidad. ¡Acéptalo, aunque no sea el hombre de tu vida, acéptalo! Mira que los años van pasando y cuando vienes a ver tienes tres arrugas en la frente y dos en el cuello, empiezas a ponerte suéteres cuello de tortuga, y vuelves a cortarte el cerquillo como una quinceañera sólo para esconder las marcas de la frente. Por otra parte, nada te puede garantizar que volverás a ver al otro... Mejor pájaro en mano que ciento volando, ¡hazme caso, que de eso yo sé un montón!

Agradecida, tomé el abrigo. Fidel Raúl vino a buscarme, cenamos una chucrut acompañada con un delicioso Sancerre y luego bajamos a bailar en medio de un salón repleto de gente. La música que el DJ decidió poner, que era de lo más variado de la música latina —según él—, de lo que esta gente se figura que es la música latina, reventaba los tímpanos. Si Ñico Membiela resucitara, se volvía morir de amargura ante tan horrenda mezcolanza de ritmos timberos.

Hasta esa noche mi vida sexual no había existido. Llevaba tres años sin acostarme con nadie, llevaba tres años evitándolo, impidiéndomelo. Había desistido porque no sentía deseos, ¿estaría volviéndome frígida como Marcela? Posible, muy posible, pero ni siquiera me importaba demasiado. No miraba a ningún hombre, sólo a Fidel Raúl, y eso porque me hacía reír. Y a las mujeres las miraba porque siempre me ha gustado observarlas, estudiarlas, recibo sus reacciones, sus gestos, sus comportamientos, como un hermoso regalo que la naturaleza le hace a mi escritura.

Fidel Raúl sugirió que aceptara una última copa en su casa. La verdad es que me había invitado cien veces a su nuevo apartamento y nunca había mostrado interés por conocerlo, pero en esta ocasión sentí curiosidad. Además de que me apetecía tomar otro trago, y conversar un rato más.

Subimos a una de esas torres modernas frente al Sena, en un edificio nuevo, acristalado por fuera, todavía más silencioso, a la altura de la torre Eiffel, o un poco más allá. El apartamento era inmenso, la decoración era sumamente minimalista. Las ventanas daban también al río, o a la ría. De exquisita decoración, con muebles de Starck, y obras pictóricas ópticas. Había bebido tanto que si seguía mirando para los cuadros me caería de tantos cuadritos y círculos, líneas, rombos... Medio mareada, me dirigí al ventanal, contemplé la ciudad, espléndida, azulosa.

Volví sobre mis pasos y caí en un sofá de terciopelo perlado, cálido; pregunté si podía subir los pies. Fidel Raúl asintió, me quité los zapatos, subí las piernas, puse un almohadón debajo de mi cabeza y parpadeé hasta rendirme. Desperté al día siguiente, el sol entraba por los grandes ventanales de vidrio. Fidel Raúl no había puesto aún las cortinas, y el sol hirió mis pupilas. Revisé mi cuerpo, desconfiada: seguía vestida, y en la misma posición en la que había caído en el sofá; tampoco había estado taaan borraaacha.

Él apareció por la puerta de la cocina, vestido con un *peignoir* azul claro. En una bandeja me traía el desayuno, jugo de toronja —se excusó, no le quedaba naranja—, tostadas blancas con mantequilla, café con leche, miel...

—Lo siento, no pude esperarte para desayunar, lo hice antes porque tengo una reunión urgente... Puedes quedarte, nos veremos luego...

Entró en su cuarto. No había terminado la segunda tostada cuando reapareció vestido de cuello y corbata. Me lanzó un juego de llaves por si quería salir a dar un paseo, sonrió, me sopló un beso que hizo ademán de depositar primero en la palma de su mano, y desapareció dando grandes zancadas por la puerta.

Los muebles laqueados en blanco, en donde me reflejaba, deformaban mi imagen. Entré en su cuarto. Todo en orden, demasiado ordenado. La cama gigante, también tendida con tonos claros. En el baño, el más mínimo detalle había sido cuidadosamente preparado para mí, toallas nuevas, perfumadas, y una nota: «Quiero tener muchos hijos contigo. F. R.» Sonreí. Tomé un baño.

Retorné al salón, busqué la música, ¿dónde tendría el equipo de música? Era un aparato hipersofisticado, una torre fina de Loewe; encima había dejado encajado su iPod. Soy muy torpe con estos aparatos tan modernos, pasó un rato largo antes de que hallara la forma de ponerlo en marcha. Alain Souchon inundó el salón con su melodiosa *Foule sentimentale.* Le siguió la canción *Sí pero no,* de Alex Cuba.

Entonces recordé al Nihilista, me vestí, dejé la llave en la mesita de cristal de la entrada. Cerré, gané la calle, hacía frío y con sol. No estaba acostumbrada a caminar con un visón a pleno día, y mucho menos a tomar un metro con semejante atuendo.

Por fin llegué a la casa. Los mismos franceses que me habían traído la carta del Nihilista habían dejado varios mensajes en el respondedor. Les telefoneé de vuelta, nos dimos cita en un café de la Bastilla.

El Nihilista les había enviado otra carta para mí a través de un periodista de Reporteros sin Fronteras. ¿Estaba decidida a dar el dinero para poder sacarlo?, preguntaron los mensajeros un poco angustiados. Ya habían comenzado a hacer las gestiones para sacarlo.

Yo ahora no estaba bien económicamente, ¿cuándo lo estuve, además? Los pocos ahorros que poseía los había invertido en el entierro de la Ida.

—¿Podrás asumir los gastos o no? Necesitaremos el dinero muy pronto.

Dije que sí sin pensarlo dos veces: yo asumiría todo.

—Todo, no. El Nihilista tiene algo reunido también, para él no ha sido fácil... Sin embargo, ha hecho algunos trabajitos para canales franceses, le han pagado una porquería, qué vergüenza con estos canallas, con lo que ha arriesgado...

Podía imaginarlo. Sabía que el Nihilista filmaba a cuenta y riesgo los mítines de repudio a los disidentes, las reuniones clandestinas, las embarcaciones de los balseros; pero la mayoría de las veces ni le pagaban y, cuando lo hacían, la suma final era como para arrastrar por los pelos a quienes lo contrataban y, para colmo, sus imágenes ni siquiera las pasaban en la televisión, porque cuando llegaban a quien decidía, esa persona opinaba que, si se debía tocar el tema de Cuba, había que hacerlo desde una óptica positiva, mejor presentarla como la isla bonita y revolucionaria que había sido siempre; y entonces, de este modo, las imágenes no variaban: los pioneritos habituales (algunos ya tenían pendejos en el culo, que diría la Ida), las playas soleadas, las palmeras, los tríos musicales, el edén, el paraíso, en fin..., el mar.

En lugar de volver a mi casa, regresé a casa de Fidel Raúl. Antes lo llamé.

—Me sentí muy triste y muy solo cuando regresé y no te vi.

—Espérame, ya llego, en nada.

Y volví con el visón a rastras a coger el metro, y subí con los dientes rechinantes del nerviosismo en un ascensor perfumado con esencias de higo.

Abrió la puerta, el lugar no podía ser más acogedor: velas por todos los lugares; anochecía, y la luz era como anaranjada. En la mesa había colocado dos platos, dos copas aflautadas y una vela blanca y fálica. Y él aguardaba, vestido deportivamente, perfumado.

—¿Cenaremos aquí? —pregunté casi domada.

—Era mi plan, pero si prefieres otra opción, apago las velas, borro la escenografía, y podríamos ir al Jules Verne, por ejemplo, o a una *péniche*.

—La idea de la *péniche* no es mala, quedará pendiente para otra ocasión, me fascinaría cenar mientras navegamos por el Sena. ¿Has leído a Anaïs Nin, su *Delta de Venus*? Allí cuenta sus aventuras eróticas en esos barquitos...

¿Por qué de súbito me comportaba tan salida del plato? Fidel Raúl me miró extrañado, se frotó las manos.

—Veo que el día te ha hecho mucho bien. Entonces, puedo interpretar que prefieres que nos quedemos en casa. No te arrepentirás, mi pato a la naranja es una delicia... —Se dirigió a la cocina.

Acudió con una botella de champán congelada casi, un Grande Dame, llenó las copas. Absorbí el líquido con los ojos entrecerrados, mi cuerpo se estremeció.

Cenamos oyendo música, bailamos suavemente. Fidel Raúl me besó en los labios. Me gustó su beso, pero yo sólo pensaba en el Nihilista. Hicimos el amor en la alfombra de plumas blancas, me gustaba, me gustó lo suficiente para decirle que sí, que iría a donde quisiera, al día siguiente. «¿Prometido?», preguntó. «Prometido», respondí. «Entonces, mañana nos casamos.» «De acuerdo —respondí—. Pero tú me tienes que prometer algo.» «Lo que sea», dijo. «Tengo que sacar al Nihilista de Cuba. —Ya él lo conocía, le había hablado tanto de él que lo había convertido en la fuente principal de su extinguidor de esperanzas—. No tengo dinero y no voy a engañarte, necesito el dinero. Si quieres que me case contigo, que tengamos hijos, estoy dispuesta, pero ése es el precio», insistí.

Se irguió, me miró muy serio. Pensé que me diría que no, que le daría un puñetazo a la mesa, que como mínimo me lanzaría desnuda por el balcón.

—De acuerdo —contestó.

—Piénsalo antes de decidir nada definitivamente.

—No, ya lo pensé. Pero una vez que esté aquí no quiero verlo ni en pintura. Tampoco tú podrás verlo. Mañana te convertirás en mi mujer, yo lo sacaré de Cuba, y estaremos empatados... Una sola cosa, ¿lo amas todavía?

—Sí —alcé los ojos—, y no podrás prohibirme que lo vea, aunque sea como amigo.

—Pues nada, sí es así, no queda de otra. Me toca a mí cambiar las circunstancias, tendré que conseguir desviar ese amor hacia mi persona. Más claro, ni el agua.

Entonces, desnudo, se colocó muy pegado a la ventana. Yo no sabía si debía ir a abrazarlo o, por el contrario, quedarme inerte, tirada en la alfombra, con el rostro del Nihilista reprochador, acusador, dentro de mi mente, en una letanía que no podía apartar de un manotazo.

Fidel Raúl, por otra parte, no me inspiraba ninguna confianza. No lo amaba, acababa de comprobar que me gustaba sexualmente, pero ni siquiera tenía muy claro que fuese cierto que dirigiera una oficina de arquitectos. De hecho, me quedaba la duda de que realmente fuese arquitecto, porque jamás lo escuché interesarse por una obra de arte como no fuera para preguntar el valor, y tampoco disfrutaba de un paisaje arquitectónico, ni reparaba en una construcción interesante, ni hablaba nunca de estilos... Sin embargo, poseía un elegante y caro automóvil, un apartamento bien amueblado, vestía bien, y alardeaba de su cuenta bancaria, o sea, que nada tiraba en su contra para cuestionarle que tuviera una reputada posición económica. Jamás temía a nada, me brindaba el confort de la seguridad, para él no existían los obstáculos; era un hombre muy decidido. Seguramente lo seguirá siendo.

—Estoy orgulloso de cenar con una mujer tan bella.

Sabía que no era cierto, pero dicho con sus palabras hacía que me lo creyera al instante.

Intuía que debía ser cautelosa, pero nadie que necesitara lo que yo necesitaba consigue serlo. Añoraba cariño y compañía y, por encima de todo, debía buscar el dinero para liberar al Nihilista de aquel infierno.

—¿Dónde está tu oficina, en qué sitio? Nunca te lo he preguntado antes, pero...

—Pero te vas a casar conmigo y necesitas la más mínima información. Entendido. En Neuilly, ¿dónde quieres que esté? —¿Su voz tembló ligeramente o fue un presentimiento injusto de mi parte?

Entonces, no quise saber nada más, lo que no quiere decir que no dudara por un instante. Se fue al cuarto, volvió vestido con un pijama de seda negro, pantuflas negras forradas también en seda negra. Se perdió en la cocina, abrió otra botella de champán.

Me tomó de la mano y nos condujo a la botella y a mí hacia el lecho. Bebimos hasta la última gota, nos besamos. Antes de quedar rendidos dijo algo así como que debíamos descansar porque el día siguiente sería un día arduo.

No recuerdo haber tenido mejor despertar en mi vida; el sol bordaba encajes en la habitación con sus juegos de luz y sombra. Frente a mí, encima de un canapé, un vestido blanco de novia, con el velo, los zapatos, el atuendo perfecto. El vestido sencillo, corto, el velo discreto, los zapatos altos. No podía creerlo, ¿qué había hecho yo la noche anterior? ¿Qué disparate había dicho?

El novio acudió con una cajita entre las manos, me la mostró, pero sin abrirla. Insistió en que me apurara, que nos casábamos a las cinco de la tarde, que ya tenía los testigos. ¿Quiénes? Milena, la cantante polaca, y Gus, el noruego. «Pero —reprobé— Gus jamás se cortará las uñas de los pies, ni se pondrá un traje...» Nada que hacer. Ya había convencido a Gus de que se calzara unos zapatos de piel, nuevos, y a ponerse no un traje, un frac. Ah, e incluso tomaría un baño.

Almorzamos ligeramente. A las dos de la tarde tocó a la puerta una señora que él había contratado para que me peinara, me hiciera la manicura y me maquillara. Así ocurrió. Él se dirigió antes en su coche a la alcaldía. Milena llegó alrededor de las cuatro, ya yo estaba casi vestida, me ayudó a culminar el trabajo, y bajamos. En la calle nos esperaba una limusina blanca, como de doce plazas. Lo cierto es que dentro aguardaban Gus, quien parecía un pingüino albino, Migdalia, toda emperifollada, Sherlock Holmes con un impermeable recién estrenado, Monsieur y Madame Lapin, los Talleyrand, Funchal e Hinojosa, Jessica, la argelina, el brasileiro y la Pliseskaya, Helga con Arôme y Hëno, la Memé, que entretanto había cumplido los cien años, Natasja, la pianista rusa, y su marido, Casimiro Láynez, *el Dramaturgo*, y Ghilaine, su esposa.

El señor Ducon, propietario del inmueble, aguardaba en la alcaldía, junto a la Sabandija, a la que nadie había invitado, pero él (o ella) se colaba en todo. Íbamos como sardinas en lata en la limusina, aunque felices, dudosos de semejante locura a la que nos arrastraba una vez más un cubano entusiasta, otro más, para colmo llamado Fidel Raúl. Los cubanos no aprendemos. No nos bastaba con haber heredado toda la desgracia del mundo debido a dos hombres que llevaban nada menos que esos dos nombres; ahora, un solo hombre, bautizado con ambos nombres, nos embarcaba en una aventura de la que ni yo misma sabía si saldría ilesa o no.

La ceremonia fue breve. El anillo brillaba en mi dedo, era un espléndido solitario con un diamante auténtico, nada de circona o sircona, un diamante de verdad. Nos besamos. Entonces, en medio del beso, me di cuenta de que había cometido un gran error. Pero enseguida rectifiqué: ¿qué no habría hecho el Nihilista por mí? Y ahí mismo me percaté de que el error lo había cometido Fidel Raúl, pues nos habíamos casado en bienes comunes, o sea, yo tendría derecho a la mitad de todo, en caso de divorcio. Antes de salir al jardín y de brindar con champán, ya él había dispuesto el brindis y toda la parafernalia. Lo aparté a un lado.

—Creo que debemos empezar de nuevo la ceremonia. Te has equivocado, nos hemos casado sin separación de bienes.

—No, yo he querido que sea así. No te inquietes de nada, de absolutamente nada... Disfruta tu día, nuestro día. —Y volvió a besarme tiernamente en los labios—. A mis hijos no les faltará nada, no te inquietes...

No me inquietaba, pero me parecía ilógico. Y, bueno, ahora tendría que conocer a sus hijos. Me aseguró que tarde o temprano lo haría, que todo llegaría a su tiempo. Y todo llegó a su tiempo, tal como había previsto.

El tiempo de los penúltimos días de una dictadura, de la enfermedad de Fidel Castro, de la toma del poder de su hermano, Raúl Castro, el tiempo de unos atentados terroristas, el tiempo de una guerra, el tiempo en que un hombre negro devino presidente de Estados Unidos... Pero nada de eso fue de un golpe; no, el tiempo es demasiado largo en el exilio, aunque la vida, la vida sigue siendo intensa y breve, demasiado pequeña.

ILUSIONES VERSUS ALUCINACIONES

La noche de mi luna de miel, en un lujoso hotel en el sur de Francia, abrí y leí la carta del Nihilista:

La Habana, madrugada, el año no importa...

Querida Yocandra, mujer mía:

Ardo en deseos de tocarte, sueño que conversamos al borde de una playa y que no ha habido nada de esto en nuestras vidas. ¿Cómo habría sido este país sin estos energúmenos que lo dominan? Sin duda alguna, un auténtico paraíso.

Aquí, en esta isla-cárcel, cada día estamos todos más locos, más suicidas. Las prisiones están repletas, la prostitución y la corrupción reinan, la época de Batista no es nada comparada con todo lo que estos dementes le han impuesto a este pueblo.

Nunca quise irme, no quiero irme, pero no me queda otro remedio. Haz lo que puedas, yo lo haré de mi parte. Mi amor por ti sigue intacto. Espero que sea recíproco.

La muerte de tu madre me hirió profundamente, ya no tendré la posibilidad de reírme con sus cómicas salidas de tono, con sus chistes. Al menos, por lo que me has contado al teléfono, pudo disfrutar de todo en el tiempo en que fue libre.

Te amo, mi mujer, un día serás mi esposa.

Tu Nihilista

Guardé la carta en el sobre, y el sobre dentro de un libro; no podía pensar en nada, me quedé fría, las manos inertes, el cuerpo blando.

Esa noche volví a soñar en francés, llevaba tiempo soñando en francés. Mi país eran mis palabras, y ahora ellas me ofrecían otro país, otro refugio, otro idioma. Y en ese idioma, ya había aprendido a dormir, a soñar:

*RÈVE UN**

Longtemps... *je me suis perdue dans les rues de Paris, et je me suis retrouvée dans les rues de La Havane, dans mes rêves; plus maintenant. Maintenant je suis déjà dans mon pays: L'écriture.*

Et puis, vous le savez, je suis devenue Européenne.

Donc je voudrais être heureuse, je me mettrais à marcher partout.

Par contre, je voudrais devenir mélancolique, je me mettrais à écrire, partout. Ma tête martèle.

Depuis ce matin, très tôt, je ne regarde que le ciel, il est mo-

---

* SUEÑO UNO

Durante mucho tiempo... me perdí en las calles de París y me encontré en las de La Habana, en mis sueños; ahora ya no. Ahora ya estoy en mi país: la escritura.

Además, como ya sabéis, ahora soy europea.

Así que quisiera estar contenta, me pondría a caminar por todas partes.

Sin embargo, quisiera ponerme melancólica, me pondría a escribir, en todas partes. Mi cabeza martillea.

Desde esta mañana, muy temprano, no hago otra cosa que mirar al cielo. Es feo, como si no fuese de verdad; como si fuese un trozo seco de caca de paloma. Basta.

che, on ne dirait pas un vrai ciel. On dirait un morceau sec de caca de pigeon. Ça suffit.

Plus de ciel.

Je regarde mes doigts, et je me souviens de quelque chose que j'oublie aussi vite. Un mot, et je reprends ma langue maternelle, par nostalgie créative, ou par faiblesse. Quelle importance!

Mon prénom: Lilita. Et je suis l'héritière de L'Etrangère de Saint-John Perse. Par passion.

Bon. Arrêtons. Oublions les origines.

Hier soir je passai quelques heures agenouillée aux pieds de la télé... Elle racontait à tout le monde, et tout le monde en parlait... Et j'avais l'impression de répondre, avec un désir.

Mais, de touts façons on s'en fiche des désirs.

Plus d'une fois j'ai voulu lire. Mais le livre me parlait à moi toute seule, et je ça me rappelait ma timidité, ou mon irritabilité.

Se acabó el cielo.

Me miro los dedos y recuerdo algo que en seguida olvido. Una palabra, y vuelvo a mi lengua materna, por nostalgia creativa, o por debilidad. ¡Qué más da!

Mi nombre: Lilita. Y yo soy la heredera de La Extranjera de Saint-John Perse. Por pasión.

Vale. Es suficiente. Olvidemos los orígenes.

Anoche me pasé unas cuantas horas arrodillada a los pies de la tele... Contaba algo a todo el mundo, y todo el mundo hablaba de ello... Y tenía la impresión de responder, con un deseo.

Pero, de todas formas, a nadie le importan los deseos.

En varias ocasiones quise leer. Pero el libro sólo me hablaba a mí, y a mí eso me recordaba mi timidez, o mi irritabilidad.

De repente, oí una voz grave. Justo después, un ritmo, mejor dicho: una discreta melodía. Y todo ese ruido agradable ascendía desde el Port de l'Arsenal.

Tout à coup j'ai entendu une voix grave. Tout de suite après, une cadence, mieux: une mélodie discrète. Et tout ce bruit agréable montait depuis le Port de l'Arsenal.

Il est 17:10. Aucun espoir que le ciel s'améliore. Encore penser à demain. Manse, j'ai glissé sur mes pensées! Et maintes fois... demain.

—Vous êtes Russe?

—Non.

Pour quoi les gens me confondent avec une Russe?

—Je suis Cubaine, Espagnole, Irlandaise, Chinoise, et Française. Pas Russe. Désolée.

—Et puis, vous n'êtes pas un p'tit peu Tchèque.

—Non plus —je souffle le plus— et pourtant j'aime beaucoup les écrivains Tchèques, et les Tchèques en général. Et j'aime bien les Polonais, mais non, je ne suis pas Polonaise. Je trouve que nous, les Cubains, nous avons beaucoup plus de choses en commun avec les Tchèques, et les Polonais, et les Russes aussi, enfin avec les gens de l'Est, qu'avec les Latino-américains.

Son las 17.10. Sólo la esperanza de que el cielo mejore. De nuevo, pensar en el mañana. Maldita sea, ¡he resbalado sobre mis propios pensamientos! Y muchas veces..., mañana.

—¿Es usted rusa?

—No.

¿Por qué la gente me toma por rusa?

—Soy cubana, española, irlandesa, china y francesa. No rusa. Lo siento.

—Entonces, no es usted ni un poquito checa.

—Tampoco —respiro profundamente—, aunque me gustan los escritores checos, y los checos en general. Y me gustan mucho los polacos, pero no, no soy polaca. Creo que nosotros, los cubanos, tenemos mucho más en común con los checos y los polacos, y también con los rusos, en fin, con la gente del Este, que con los latinoamericanos.

—*¿Culturel?*

—*Mais non, souffrance politique, mécontentement social. Nous serons pour un bon moment, inconsolables.*

—*Ah, bon.*

—*Ben, oui.*

Dentro del sueño, me torturaba la obsesión de corregir las faltas de ortografía, y no lo conseguía, no podía remediarlo.

Mientras desayunaba decidí titular la novela *El beso de la extranjera*, en referencia a Lilita Sánchez Abreu, la amante de Saint-John Perse, y repetí en murmullos el verso: «*"Rue Gît-le-Cœur... Rue Gît-le-Cœur..." chantent tout bas les cloches en exil, et ce sont là méprises de leur langue d'étrangères*», del *Poème à l'étrangère* de Saint-John Perse. Imaginé la dedicatoria: «*À toi, en exil. À mon pays, la poésie.*»

A partir de ese día empecé a padecer los primeros síntomas raros. En la calle, de pronto vivía situaciones inexistentes, «visiones», es la palabra apropiada, y escuchaba diálogos, lo mismo en francés que en mi lengua:

—Mi marido es el único que no me confunde con una rusa, será porque se está templando a una, me engañará probablemente con una rusa... En verdad, no estoy tan segura... Sin embargo, sospechaba de él porque, de

—¿Culturalmente?

—No, no, sufrimiento político, descontento social. Durante una buena temporada, seremos inconsolables.

—Ah, vale.

—Pues sí.

súbito, se ponía a hablar en ruso, dormido, claro. Y después, después advertí algunos detalles, no sé, cambios en el paladar... ¡Siempre los malditos detalles! No —corregí mis pensamientos—, mi marido no me es infiel. Sólo lo es dentro de mi cabeza. Lo que no quita que él sueñe con serlo.

De nuevo me sentía inútil, *bonne à rien*, mal amada, engañada, y sin nadie a quien poder contárselo.

—El exilio es también eso, un deseo de morir en permanencia, que no abandona nunca. Pero, cuando se tienen niños, hay que resistir, continuar, por ellos, ¡bah! Uno se justifica, pero un día los hijos partirán, mi hija partirá, y yo me quedaré con este deseo, y seguramente sola.

Pero ¿qué estaba diciendo? ¡No tenía hijos!

—¿Eres fiel?

Las voces no cesaban de hablarme, al compás de mis tacones en el pavimento. Mi voz imperaba como si una mujer, extraña a mí, se expresara a través de ella. Otras voces me cuestionaban o me respondían. Y no podía evitarlo.

—Sí, soy fiel, es mi única religión: la fidelidad. En fin, tengo otra fe: la lotería... También, es lógico, creo en algo, en la poesía, por ejemplo..., en los juegos de azar. Nunca gano nada, aunque en una ocasión sí gané: doscientos cincuenta euros... Ah, además creo en el *big love*.

—*Foutaises!* Yo sólo creo en el dinero.

—Sí, yo también, ¿por qué no?

—«Dinero», ¡qué bella palabra!

—El amor...

—Me cago en el amor, cien veces... *Je nike l'amour...*

—Yo no, *je kiffe l'amour...* Amo el amor. Qué extraño,

¿verdad? Todavía estoy enamorada de mi marido; quince años y medio después, todavía lo amo.

—¿Y él a ti?

—Bueno, ¿sabes? Con amarlo me es suficiente. Después de todo, el amor es amar, y no dejarse amar o darse para el amor.

—Me gusta mucho la palabra «darse».

—Te doy un beso. Mi beso de extranjera. ¿Te acuerdas del poema?

—¿Qué poema?

—Ninguno, es evidente, de ninguno... Saint-John Perse, ¿te dice algo?

—Vagamente. No conozco a mucha gente...

—Yo sólo conozco... —Iba a decir «muertos»—. No, nada.

Los días, los meses pasaron. Yo seguía entrando en los metros acompañada de múltiples voces. Fidel Raúl no conseguía sacar al Nihilista de la isla, había hecho algunas gestiones y ninguna daba resultado. Y como me aburrí de vivir en aquel amplio apartamento la mayoría de las veces sola, regresé al «hotel particular» de la rue Beautreillis, a mi reducido espacio. Ninguno de mis vecinos entendía muy bien la situación, pero al menos dejaron de hacerme preguntas indiscretas.

Terminé un libro, que no tenía que ver con la novela, un libro que conseguí publicar porque se trataba de un estudio sobre Federico Fellini, en una pequeña editorial. No podía quejarme, con ese libro recorrí casi toda Francia y sus ferias y salones de libros, a tal punto que terminé por agotarme, y por cansarme del *«frômage du pays et le vin du terroir»* con el que inexorablemente obsequiaban a los autores.

El invierno, después de una eternidad, y siempre: el invierno. Estuve dos semanas encerrada en casa. Sentí miedo de caerme, y de no caer en la tierra, de flotar... Finalmente salí, necesitaba comprarme otro abrigo, nada que fuese caro, pero un abrigo caliente, de buena calidad. Lo compré para, una vez más, maquillar, o vestir, mi frío. Tuve miedo de salir. Me descompongo, me construyo con la memoria de otro, *je me suis détruit d'autrui.*

En el instante en que empecé a tejer una bufanda percibí que las cosas no iban nada bien. Terminé tres bufandas de lana, y, mientras más me especializaba en lanas (en materia de calidad y color, soy la mejor —sabía crear, combinar dibujos imposibles—), más voces oía dentro de mi cabeza. Años atrás, yo les habría hablado horas, habría escrito páginas enteras, sobre la seda y el cuero. Ahora consagraba mi existencia a pensar, a soñar, con la lana. Mis sueños devenían lanudos. Lo sabía, no iba bien, para nada, me había transformado en idiota, como la mayoría de la gente. Además, no cesaba de mirar sin ver, esto me enervaba. Yo me había reconstruido, de otros, de otro, ausente.

«Mañana partiré a Sevilla —me dije—, para una entrevista en la televisión. Es el 6 de enero, día de los Tres Reyes Magos»... Llegué y las calles estaban congestionadas, todo el mundo inundaba las arterias principales. Sin embargo, las callejuelas continuaban desiertas. Sí, la gente se divertía, aunque otros dormían la siesta.

—¿Qué es un hombre?

Sorprendida por la pregunta, respondí con una tontería:

—Un ser hecho de poesía.

—Construido por la poesía.

—Destruido por la poesía, por la vida. La poesía es...

«Lo único que quisiera hacer es reencontrar a mis amigos —pensé súbitamente—, en la esquina, dentro de un café, pero ellos están muy lejos de aquí.» Entonces, abrí mi móvil, y gasté mi dinero en llamadas; sus voces me golpeaban en el centro mismo del pecho, nada tenía que ver con la nostalgia, era el reencuentro con esas voces, las de los verdaderos amigos.

El único que no respondía era mi marido, nunca estaba disponible, siempre se escondía dentro del respondedor automático, oculto bajo la voz de Jacques Chirac: *«Veuillez appelez d'ici à quatre ou cinq ans.»* Cómico, ¿no? No, no es para nada cómico.

«Venga a ver, venga, está nevando, está todo blanco, muy bello. Venga junto a mi ventana, a mi lado, péguese a mí. Yo me he reconstruido. *D'autrui.»*

Escuché de nuevo voces.

Regresé a París con el deseo insatisfecho de comprarme algunos libros de más en Sevilla. Sólo compré dos, una novela de Guillermo Cabrera Infante y otra de Manuel Mujica Láinez. Pude haber adquirido otros que me interesaban, pero supuse que me estaba volviendo tacaña. «Claro, ¿sabe usted el tiempo que hace que vivo en París? ¡Dieciséis años ya! A una se le empiezan a contagiar los malos hábitos.»

—No le creo. ¿Usted toma un baño diario? —me preguntó la nueva conserje del inmueble, extrañada.

—¡Claro! —respondí, orgullosa de ser cubana y, como todos los cubanos, de apreciar el agua y la higiene.

—Querida, aquí hay que pagar el agua, cuesta cara, ¿lo sabe? No debe usted gastar para nada. Porque, total, su marido nunca está presente, ¿quién la va a oler a usted? Además, la piel se vuelve delicada, sobre todo en invierno. Es muy malo para la salud esto de irritar la piel. Hágame caso.

«La cáscara guarda el palo», reflexioné en español.

—Y, para colmo, ¿usted toma baños calientes o fríos? Seguramente calientes. ¡Bravo a la hora de pagar la electricidad! Y los jabones, con el cambio al euro, han subido bárbaramente. Escúcheme, el otro día, compré un pequeño jaboncito de nada, me lavé las manos tres veces y desapareció, *eh, ben*... ¡Casi un euro que gasté por esa diminuta partícula de mierda!

Yo me había destruido. Sola. No fue culpa de nadie.

—Bueno, madame Poussin, lo siento, me retiro...

—Es temprano, apuesto a que...

—Apuesta usted correctamente... Debo tomar una ducha.

—¡Otra vez, va usted a desaparecer, *ma pauvre*!

—Sí, voy a reconstruirme, en lo invisible...

Fidel Raúl regresó de Japón, luego empacó para Londres, después Nueva York, otro viaje a Dubái, más tarde tomó otro avión para Cuba. Allí —según me contó—, sostuvo una larga conversación con el Nihilista; lo supe por la carta de este último y por la historia que me hizo mi marido: ambas coincidían.

—Se sintió decepcionado, no, más que eso, traicionado al informarle yo de que nos habíamos casado. No entiende cómo has podido hacer semejante cosa y no habérselo contado en las llamadas que le hiciste. Me pareció que está —titubeó—, que está enamoradísimo de ti, y que no comprendía absolutamente nada de lo que le expliqué. Que te habías casado conmigo para que yo lo sacara de allí, que no me amabas, pero que nos habíamos acostado. En ese punto lo vi muy triste, muy amargado, sí, ésa es la palabra, «amargado». Después se despidió con un apretón de mano, y quedamos en volver a vernos para entregarme la carta que te escribió. Aquí está, léela... Lo siento.

Sentí necesidad de salir a la calle. Mi marido quiso acompañarme, pero le dije que prefería hacerlo sola. Bajé y erré bastante rato con la carta dentro del bolsillo del abrigo; acariciaba el papel como si pudiera atrapar algo del calor de las manos del Nihilista.

Las voces empezaron a rondar nuevamente mi cerebro:

«Me pongo mi abrigo rojo y abro la puerta. Mi vecino me mira con su cara de perro, un rottweiler:

»—*Madame*, acabo de encontrar la nota que me dejó delante de la puerta. Así que, según usted, soy yo el que bota la basura a través de la ventana y le cae a usted encima. Más exactamente, sobre su cabeza.

»—No, no encima de mi cabeza, más precisamente, cae sobre mis plantas. —Ensayo una sonrisa tímida, mis mejillas se inflan artificialmente.

»—¿Está usted loca ¿Cree que me divertiría haciendo semejante estupidez?

»Me armo de coraje, más bien de paciencia.

»—No, *cher monsieur*, no estoy loca. Le advierto que nadie me lo contó, yo personalmente lo he visto a usted tirarme toda su mierda sobre mi balcón, y por la ventana de mi cuarto me ha lanzado usted todo el polvo del cartucho de su aspiradora. La única cochinada que le falta por hacer es abrirse su gordo culo y cagar en las terrazas. Además, ya que estamos puestos, estoy hasta las tetas de sus ruidos nocturnos, de sus ronquidos, de sus eructos, de sus *peos*... E, incluso, estoy hasta la perilla de su lenguaje políticamente correcto a la hora de templar, lo que afortunadamente no sucede muy a menudo: *"Ma cocotte*, ¿estás a punto? *Tu viens, tu viens? Monte, monte?"* Cualquiera diría que se están preparando ustedes para un largo viaje a caballo... ¿Está bien así como le he dicho las cosas? ¿Contento ahora?

»—Avisaré a la policía, no me deja otra opción.

»—No se tome la menor molestia, ya le entregué un CD a la comisaría donde me tomé el trabajo de grabar sus ruiditos nocturnos. ¿Sabe por qué? Por vicio cubano de chivatear. Y también aporté mil trescientos CD con la grabación de los toc-toc de los tacones de su mujer entre tres y cinco de la madrugada, durante ocho años. ¿Lo ve? Es muy musical como sonido, muy variado, diríamos, una sonata... Sí, ahora que lo dice usted, puede que me haya vuelto muy enferma, medio loca, o loca entera, por culpa de usted y de su amada esposa.

»Me siento más calmada que nunca, he aprendido todo esto en este país, aprendí la lección de la indiferencia, puedo pronunciar la frase más hiriente sin mover un músculo de mi rostro: "Me cago en el corazón de tu madre", rechino entre dientes con una fineza extrema y, además, logro al mismo tiempo ofrecer una taza de té de rosas.

»—¿Quiere usted beberse conmigo una taza de té de rosas, comemierda?

»Al tipo le entra pánico y se larga, pies en polvorosa, se enreda con la alfombra, tropieza y se despetronca. El pantalón se le raja a causa de un *peo* que se le escapa. Un *peo* apestoso a queso podrido, normal, el Munster.»

Todo esto me lo contó una voz en francés, y no supe cómo reaccionar, porque no podía impedir que siguiera parloteando dentro de mi cabeza, con un acento que se parecía bastante al mío, pero no se trataba de mi voz.

Entré en un bar. Sólo estábamos el barman, un pianista que tocaba a Chopin, una pareja y, después, yo. No había demasiada iluminación para leer, más bien apenas ninguna, pero abrí la carta y me dispuse a entregarme a la lectura. Eran seis páginas, o más, escritas a mano.

Querida Yocandra:

No voy a reprocharte nada. La separación ha sido larga, y tú debías buscarte a alguien; el exilio, según dicen, es penoso, y en soledad lo es aún más. Yo sabía que eso sucedería en cualquier momento, que encontrarías a otra persona. No voy a discutir qué es más espantoso, si quedarse en esta isla en una suerte de «insilio» o huir definitivamente. Tú conoces ambas experiencias, no es mi caso. Sólo puedo hablar de lo que he vivido sin ti, amándote, sin dejar de extrañarte un solo día de mi existencia.

Como sabes, este país está cada vez peor. No me refiero a las necesidades diarias, ya ni siquiera podríamos hablar de lo cotidiano, de lo que hay que resolver para poder vivir. En este país no hay vida porque no hay libertad, tan sencillo como eso. Lo sabes, conoces esa realidad, sé que estás al corriente; aunque espero que no te engañes con los libros que escriben los que dicen que viven dentro. En primer lugar, no es verdad que esos escritores vivan dentro de Cuba: se la pasan viajando, o viven seis meses en el extranjero y luego regresan a marcarle la tarjeta al castrismo. No creas nada de esas novelas, todas mienten, la mayoría de ellas al menos. Es muy cómodo describir a un tipo que devora el cadáver de una mujer en medio de los escombros de un solar, o leer que el mismo tipo, siempre el mismo machandango, se tiempla el mismo cadáver putrefacto de esa mujer. Lo incómodo sería acusar a la dictadura de fascista, y señalar con el dedo al dictador y a sus secuaces. Me gustaría mucho hacerte llegar libros escritos en las prisiones, por los presos políticos, los periodistas, los poetas, que llevan años de años encarcelados en celdas tapiadas. Esa gente sí tiene cosas que contar, pero pocas editoriales se han enterado todavía.

Como sabes, llevo años en la disidencia, y nunca han podido cogerme, jamás. Se lo comenté a tu marido, que me pareció buena persona, pese a esos nombres que tiene, ¡qué manera de desgraciarle la vida bautizándolo con semejantes nombrecitos! Nunca pudieron echarme mano porque jamás he dejado huellas, y mi trabajo siempre lo he hecho en contextos artísticos. Huyo de la ideología como de la peste, de cualquier lado que ella provenga. Los castristas se las han ingeniado para crear artistas semicontestatarios autorizados, los siembran en el exilio, los infiltran y, entonces, esa gentuza se dedica a dividir al exilio. Es la razón por la que decidí, desde dentro, dedicarme a hacerles el trabajo a contracorriente, destruirles lo más que pueda, frente a los extranjeros que visitan la isla, la idea que esos mensajeros les venden de paraíso ideal del comunismo con sus machangos queriendo destimbalar invariablemente a las jevas.

Aunque, a decir verdad, la miseria más dañina, la más humillante, no es la del macho cubano que le coge el culo a varias putas, ni que luego se mete a bugarrón y se singa a una muerta o a un cadáver lleno de gusanos. La miseria más aplastante es la de la ignorancia, la de la falta de derechos. Los niños van a la escuela vestidos de pioneros, apenas comen. Sin embargo, no se mueren de hambre, la mayoría padece anemia, se irán muriendo poco a poco. Pero lo más terrible es cuando escuchas a un niño hablar, pareciera que habla como uno de esos generales... Es un típico general en miniatura... Los padres intentan que no les formateen el cerebro de los hijos, pero esta dictadura lleva cinco décadas haciéndolo, ya nada se puede contra eso.

Cada vez que me preguntan qué sucederá cuando caigan los hermanos Castro, no sé qué coño decir. ¿Qué pasó en España cuando se cayó Franco, y en Italia con la caída de Mussolini, y en Europa con la caída de Hitler, y en Chile y en Argentina? Esto es fascismo igual, un fascismo muy sutil, muy perfeccionado, de manera que los crímenes que han cometido los enmascaran y justifican como necesarios, ya que la revolución debió defenderse de los enemigos del pueblo, del imperialismo yanqui, o sea, el mismo blablablá y la mierda inevitable de siempre. A lo que más temo, cuando se caigan estos dos salvajes, es a las secuelas que deje el castrismo en las nuevas generaciones. Ya hay generaciones perdidas, la tuya, la mía, todo esto, todo lo de nosotros está perdido. Pero las nuevas generaciones todavía pueden salvarse de algo, no sé de qué, pero presumo de poseer esa esperanza. A nosotros ya nos jodieron la vida inescrupulosamente. Y se vive una sola vez.

Volvamos al tema que nos urge: tu decisión de casarte para, de alguna manera, poder sacarme de aquí. La respeto, pero es una opción que yo no puedo compartir y mucho menos aceptar. Yo no habría hecho lo mismo, pero tampoco sé a lo que me hubiera atrevido si fuese el caso contrario, si tú estuvieses aquí y yo allá. Por tu carta sé que me sigues queriendo, y también me lo dijo tu marido. No lo dudo, pero ya ha pasado demasiado tiempo y no sabría vivir fuera de aquí contigo, porque ya me sobrepasas en conocimientos de lo que es el mundo libre, sencillo y cotidiano. El desfase entre nosotros resulta descomunal, mejor ni intentarlo.

Así que de ningún modo me iré, Yocandra, prefiero quedarme en Cuba. Odio esta dictadura, pero amo mi país, y prefiero morir en el intento. No te preocupes, es sólo una frase hecha.

No cometeré ninguna locura. Quizá ése sea el problema: que nadie quiera poner el muerto. Aunque muertos ha habido muchos ya, por muertos no habrá quedado. En cualquier caso, no temas, no me meteré en líos que pongan mi vida en peligro, quise decir en un peligro mayor del que vivimos a diario, en cada segundo en que se mira de reojo a cualquier hijo de Lina de éstos.

Vive tu vida, arréglate con lo que nos queda de vida, porque esto no tendrá arreglo en largo tiempo. Pronto Estados Unidos cambiará de presidente. Yo le diría a Barack Obama —en caso de que sea elegido— que levantase el boicot comercial, es el único pretexto que tienen estos atorrantes para seguir aferrados al poder. Pero ya verás cómo, si Barack Obama lo intenta, los Castro harán algo en contra para que eso no pueda suceder; ya lo hicieron con Carter y con Clinton. A los Castro les interesa mantener el boicot comercial norteamericano. Es su carta de triunfo.

Me dirás que hablo como los locos, así es como se habla en esta isla. Todos aquí andamos como locos, buscando una frase esperanzadora a la que aferrarnos. Calculamos el más mínimo estado del futuro.

Intenta rehacer tu vida. Ese señor con el que te has casado parece buena gente, o buen agente. No, no, en serio, sólo me estaba burlando un poco de él. No estés triste, cuando pienses en mí, piensa en el hombre que más te amó en la vida, que te seguirá amando. Y no me sientas lejano, porque ¿ves, ves cuán cerca me hallo de ti? A poca distancia de este beso,

TU NIHILISTA

Bebí un kir royal, luego una 1664, releí la carta. Es cierto que su escritura no seguía una estructura lineal, era una carta escrita velozmente, pero era la epístola más bella que había recibido jamás.

Pagué y me fui. Las voces merodearon nuevamente mis sienes:

«Acabo de llegar a La Durée, en la rue Royale, con el Dramaturgo. Nos espera Régia, sentada solitaria a una mesa para cuatro personas. En la mesa de al lado observo a una dama muy curiosa, los cabellos lacios largos, el rostro sin maquillar. No es joven, tampoco es vieja, no tiene edad. Después del besuqueo con Régia, el Dramaturgo desata una interesante conversación sobre las religiones. No participo, contemplo a la dama melancólica.

»El camarero le trae su cruasán, ella toma el cruasán con una mano y lo revisa por todos los lados minuciosamente. Con una voz apenas audible, reclama la presencia del camarero.

»—Por favor, ¿podría cambiarme este cruasán? Está quemado.

»—No, señora, yo no lo veo quemado.

»—Sí que lo está, y no es lo mismo un cruasán quemado que uno tostado, no tienen el mismo gusto... —insiste la dama.

»En efecto, el cruasán está bastante *grillé*.

»El joven retoma el plato, con aire molesto, regresa con otro cruasán magnífico, dorado.

»—*Madame est servie* —subraya con tono arrogante el sirviente.

»Ella da las gracias.

»Régia nos presenta a la señora:

»—Es una amiga de aquí, la conozco desde el primer día que vine a este lugar. —Régia tiene ochenta y cuatro años, pero cuando da la mano la aprieta tanto que pareciera la mano de un fornido joven de veinte años.

»El Dramaturgo y yo sonreímos. No sé por qué, la dama me inspira mucha ternura. Sabré el porqué unos días más tarde. Me recuerda a mi madre, con el gusto que saboreaba los cruasanes.»

Una semana más tarde, el Dramaturgo decidió visitarme, yo lo había invitado a merendar, porque todo en él tiene que ser obligadamente ceremonioso. Sí, nos preparamos suculentas meriendas, y de cada una de ellas hacemos un gran acontecimiento, como si fuésemos adolescentes. Le había prometido, además, mostrarle unos cuadros que Fidel Raúl había comprado en La Habana.

—Tú sabes, tengo una anécdota de las que a ti te gustan. ¿Te acuerdas de la señora que nos presentó Régia en La Durée?

—¿Aquella del cruasán quemado? —inquiero.

Él asiente pegando el mentón al pecho.

—Me la crucé en el Faubourg Saint-Honoré —contó—. ¿Y sabes qué? Es una mendiga, no sabía qué decirle, qué inventar para acercármele, así que de manera simple le dije: «*Bonjour*», y como me miró con un aire lejano, me dirigí a ella nuevamente: «*Je vous connais, madame... Ça fait quelques semaines, à La Durée.*» Todavía con la mano extendida, me miró, tembló ligeramente. Le di un euro. Y me respondió: «Gracias, señor, ¿sabe usted?, La Durée *est mon seul luxe.*» Vete tú a saber qué historia hay detrás de una pordiosera que se dedica a mendigar para ir a comerse un cruasán a un sitio tan caro...

El Dramaturgo y yo nos pusimos a llorar; luego le contamos a Régia, que hizo unos pucheros, nada más. Ella es una señora muy dura, que le gusta tirar al blanco con pistola, y montar en motocicleta a toda velocidad por París, de madrugada. Ella es una anciana que guarda demasiados secretos.

Concluí que llorábamos porque nosotros éramos como esa dama, situados a sólo unos milímetros de ella, de su estatus social.

Tomé el metro en La Motte-Picquet-Grenelle, hice varios cambios, me bajé en Saint-Paul. Subí la escalera mecánica; en el cuchillo del parquecito el viento gélido azotó mi cara, caminé apresuradamente hacia la calle Beautreillis. Entré en el inmueble, subí los peldaños de dos en dos hacia mi pequeña guarida. Me estaba quitando el abrigo cuando tocaron a la puerta. Era Migdalia. Había advertido mis pasos en la escalera y, como no podía dormir, quiso averiguar si yo podría escucharla un rato. Tenía los ojos enrojecidos y se retorcía las manos, visiblemente emocionada, nerviosa.

—Mi hijo acaba de morir —fue todo lo que dijo. No lloró, ya lo había hecho durante horas y horas.

Su hijo había muerto de sida en Cuba, nunca lo dejaron salir de Los Cocos, el sidatorio. Mientras a los demás les permitían regresar a sus hogares, al hijo de Migdalia jamás le autorizaron volver a ver la calle. Ellos habían presentado juntos la salida del país, les llegó la tan anhelada salida, y Migdalia tuvo que irse sola porque a su hijo no lo dejaron ni siquiera responder a la carta de la embajada francesa que lo invitaba a participar en un programa de tratamiento a sidosos. El hijo de Migdalia era científico y, según él, se había tenido que inocular el sida bajo las órdenes de Castro, quien les había dado instrucciones a varios científicos de que se inyectaran el virus porque dentro de poco los científicos cubanos, o sea, ellos mismos, descubrirían el antídoto, la vacuna que curaría la terrible epidemia. Aun a pesar de que ninguno de esos científicos creía en Castro, de que estaban convencidos de que ésa era la mentira más grande del mundo, no, la más grande del universo, y de que conocían a lo que se exponían si se inoculaban el terrible virus para probar a la humanidad que ellos se comprometían a encontrar la solución a la enfermedad, aun a sabiendas de que enfermarían gravemente y de que morirían, los científicos, doce en total, debieron inocularse el virus. Era eso, o la cárcel, y el fusilamiento casi simultáneamente. Al menos, alguna esperanza de vida les quedaría inoculándose la enfermedad; meses, años, no podían vaticinar la fecha, pero el acontecimiento les hincaba con la precisa sobre sus vidas mismas. Deberían hallar el remedio para poder, por encima de todo, sobrevivir. El hijo de Migdalia afortunadamente no se había casado, no tenía hijos, pero otros investigadores sí tenían esposa e hijos, y algunos de ellos ya habían muerto, dejando a familias en situaciones desgarradoras.

Su hijo había conseguido pedir ayuda a un célebre instituto de investigación francés. Cuando se vio a punto de morir, le mandaron el tratamiento y luego una invitación a que viajara a Francia a tratarse y, al mismo tiempo, a investigar, acompañado de su madre. Las autoridades castristas no le autorizaron el viaje; el de su madre sí, porque no les quedó más remedio, intimidados, bajo la presión que ejercieron los franceses. Pedro aconsejó a Migdalia que se largara de aquel infierno, y que si podía que hablara por él, que le contara a la prensa lo que los hermanos Castro les habían hecho a esos científicos. Pero cuando Migdalia aterrizó en Orly, lo primero que se encontró fue a un funcionario francés de alto rango que le pidió discreción, y que su estancia en ese país dependería de que ella no hiciera absolutamente ninguna declaración a la prensa y, por ende, también la situación de su hijo mejoraría o empeoraría, en dependencia de su nivel de aceptar ser disciplinada. Migdalia optó por callar, tuvo que explicarle por carta a su hijo bajo frases que no lo comprometieran demasiado, que no podía hacer nada por él. Su hijo comprendió perfectamente aquel lenguaje en clave. Desde hacía años, debido a su puesto como científico, había adquirido una especialidad alternativa, la de disponer de un lenguaje en jeroglíficos para poder entenderse a solas con su madre, por miedo a los micrófonos instalados en las macetas, o en los falsos techos, de las casas de los investigadores. Entonces, empezó a dejarse morir; sabía que todo estaba perdido.

Le tomé las manos a Migdalia, ayudé a que se sentara en el sofá; temblaba como una hoja.

—¿Cuándo supiste que tu hijo había fallecido?

—Hace unas horas —respondió con lágrimas en los ojos.

—¿Te llamaron desde Cuba?

—No, yo lo sé porque lo presentí. No te olvides de que soy espiritista. Pedro murió a la una de la madrugada. A esa hora me desperté empapada en sudor, lo tenía frente a mí, y me dijo: «Mamá, me voy, te quiero.»

—Pero ¿no has hablado con nadie? —insistí.

Ella negó con la cabeza. Me extendió una agenda; un bolígrafo marcaba una página, ahí estaba el número de Los Cocos. Ella no se había atrevido a llamar, la comprendía, yo también vacilaba en telefonear a Cuba. Cada llamada a Aquella Isla me provocaba un desajuste emocional inextricable.

Marqué el número. Respondió una persona que me pasó con otra y esta otra con otra, hasta que por fin di con un responsable. Pregunté por el hijo de Migdalia. La mujer me miraba con los ojos desmesuradamente abiertos, fijos, sin pestañear.

—Falleció al anochecer, alrededor de las seis o las siete... —fue la respuesta expeditiva, concisa, sin ningún tipo de rodeos ni de miramientos sentimentales. Con el cambio de hora, eso hacía que en París fuera la una de la madrugada, más o menos.

—¿No pudieron avisar a su madre? —pregunté.

Migdalia bajó los párpados, convencida ya.

—No, su madre no vive en Cuba. Ya se enterará. Lo cremaremos, como mismo pidió él antes de morir. Su cuerpo no sirve para ningún experimento científico, según puedo leer en su expediente: estaba minado..., podrido —añadió.

Colgué el teléfono. Confirmé la mala noticia. Empecé a lloriquear. Migdalia se levantó, puso la tetera a hervir, buscó en mi estante un paquetico de tilo. Coló tilo para ambas.

—Llevo muchos días, meses, escuchando voces —dije sin saber por qué.

—Bueno, eso es bueno, al menos ellas te avisan. A mí me sucede constantemente, desde niña.

—Lo siento mucho, Migdalia, por tu hijo, por ti...

—Mi hijo ya es libre. Tu madre también lo es, no pienses más en ella con angustia. Tu madre está acompañada de Paul Mihanovich, se la pasan bien, converso con ellos, con sus espíritus, a cada rato.

—¿No te da miedo conversar con los muertos?

—Soy espiritista desde los quince años. A los muertos no hay que tenerles miedo, no hacen daño. Es a los vivos a los que hay que temer. Témele a la Sabandija, a ésa debes temerle, seguro... Intentará ofuscarte, lo veo venir, acompañado con un pronóstico demasiado feo.

Nos mantuvimos silenciosas durante horas, luego ella se arrebujó en el sofá y se quedó dormida. Yo me fui a mi antigua cama, húmeda y fría. Me desperté tarde. Cuando me levanté, ya Migdalia había partido, dejándome una nota en la puerta del refrigerador pinchada con un retrato en miniatura de la *Mona Lisa*: «Gracias, estoy mejor, mucho mejor. Me voy a la escuela, los alumnos me necesitan. Migdalia.»

Regresé al apartamento de Fidel Raúl; no me acostumbraba a que también allí vivía yo, que me pertenecía. Cuando llegué, encontré, para sorpresa mía, a mi marido, que había regresado, como siempre colmado de regalos, chistoso, halagador, pleno de proyectos de viajes y procreaciones.

—¿No estás embarazada todavía? —preguntó, algo inquieto.

—Nada de nada. —Y abrí un libraco sobre fotos de Cuba, de esas fotos en que la miseria retrata tan formidablemente bien, de manera artística.

—¿Piensas mucho en él, en... el Nihilista? —Sólo hacía preguntas, mientras abría una botella de vino tinto Saint-Emilion.

—No, en verdad, tengo mucho trabajo. Estoy escribiendo un libro sobre Lydia Cabrera, escucho mucha música, investigo sobre la música yoruba. No tengo tiempo de pensar en nada más que en eso, en mi trabajo.

—¿Piensas en mí, de vez en cuando?

—Claro —respondí—, por supuesto, todo el tiempo —mentí, y en seguida me lancé—: Espero que hayas sido leal con el Nihilista, que no le hayas contado a nadie que lo viste, y que no hayas hablado de él con nadie en Cuba. Sobre todo con nadie que pueda hacerle daño.

No sé por qué tuve la intuición de que Fidel Raúl podía ser un espía, un doble agente, y que el Nihilista estaba en peligro. Fue un pensamiento momentáneo, al instante descarté la idea; llevamos tantos años paranoicos por culpa de esa dictadura que desconfiamos hasta de las personas con las que compartimos la intimidad más profunda.

—Todo lo que el Nihilista hace allá lo sabe cualquiera. En esa isla no se puede hacer nada en secreto, la culpa la tenemos los mismos cubanos, que somos la indiscreción en dos patas, el chisme y la traición a pulso. Por envidia, un cubano chivateará hasta a su madre, y en una dictadura chivatear está a la orden del día, y al mismo nivel que matar.

Se empinó la copa de vino. La mía estaba intacta. Encendió el iPod, las voces de los Lecuona Cuban Boys inundaron la estancia con la conga *De La Habana a París*: «*Eeeeh, à danser, tout le monde, tout le monde, tout le monde, la conga, que llegó de La Habana a París, con Lecuona Cuban Boys, à danser..., eeeeaaaaah, vacuna, vacuna, vacuna...*»

Esa noche me invitó a la ópera Garnier, a ver *La flauta mágica*. Al salir, me tomó de la mano y, mientras nos dirigíamos al parqueo donde habíamos dejado el automóvil, él iba enumerándome sus apreciaciones de la ópera, de los intérpretes, pero ya yo andaba perdida en mis voces:

«Dos días seguidos en los desfiles de Dior y Chanel.

John Galliano es el William Shakespeare de la moda, Karl Lagerfeld es, por supuesto, el Marcel Proust. Desde hace cuarenta y ocho horas me siento Ofelia u Odette. Más bien Ofelia, ahogada en esta multitud que busca un taxi.

»¡Milagro, encontré un taxi! ¡Milagro, el taxista es amable! ¡Milagro, no apesta! ¡Milagro, huele muy bien, incluso huele más que muy bien! ¡Milagro, no me da vueltas por todo París para llegar a la Bastilla! ¡Milagro, no empieza a hablarme maravillas de Fidel Castro, más bien todo lo contrario, cuando le digo que soy cubana!

»Hoy sólo he comido un *pain perdu*, que es una especie de torreja bañada en helado de vainilla, he aumentado algunos quilos de peso. Prefiero estar gorda que encabronada por no poder comer. Cuando estoy hambrienta, lloro igual a una niña de dos años, debe de ser otro trauma proveniente del castrismo.»

Mi marido me invitó a conocer a una pareja de amigos a la que dio cita en el Georges. Son simpáticos, ella se dedica a escribir sobre moda en una célebre revista parisina, es también cubana. Y su voz la acababa de escuchar hacía unos minutos, y todo lo que me estaba contando ya lo había oído dentro de mi mente, tal como lo reproduje en el párrafo anterior. Absurdo, ya lo sé, y no poseo absolutamente ninguna explicación para este fenómeno. Migdalia me aconsejará seguramente.

En efecto, días más tarde, sus palabras fueron las siguientes:

—No temas, son avances de la realidad que has aprendido a captar y a acumular en tus visiones, no te asustes de nada de eso. Escríbelo, por favor, escríbelo.

Me vi obligada a viajar demasiado debido a mi trabajo, y yo que detesto el blablablá de las conferencias, entonces, nada, me fui convirtiendo en una cotorra internacional. Necesitaba parar, detenerme, porque si seguía como iba no sería capaz de volver a escribir una línea.

Y el verano llegó finalmente.

Recordé hace algunos veranos, la Copa del Mundo. Yo estaba a favor de Francia. En el edificio de la rue Beautreillis todo el mundo estaba enamorado de Zinédine Zidane, incluido mi marido, que le daban unos terepes inauditos de sólo ver patear el balón a Zizou. Estaba claro que mi marido no era gay, pero ¿quién sabe? Zizou podía hacer milagros, sin duda.

Aquella noche me sentí tremendamente desgraciada. Zizou había goleado, pero también metió un coñazo, un tremendo cabezazo en el vientre de su adversario. Escribí un artículo para un periódico español elogiándole sus capacidades de jugador limpio, y he aquí que la cagada en aquel momento era yo. Al día siguiente, Fidel Castro lo llamaba *el Argelino,* que es una manera bastante racista de llamar a alguien, por sus orígenes. Pero Castro siempre se creyó gracioso, y sospeché que ya estaba deseando invitar a Zizou a Cuba como entrenador de un futuro equipo cubano «campeón del mundo de fútbol». ¡No le hagas caso, Zizou, por favor!», me dije, para mis adentros, y en seguida me repetí por lo bajo que estaba volviéndome loca, dirigiéndome a gente que ni siquiera conozco. Además de que los cubanos son muy malos en *foot*; lo de nosotros es el boxeo o el béisbol, jamás el fútbol. Y seguí malgastando ideas en asuntos sin importancia personal. Recibí un *gift* por e-mail donde Zizou le da un cabezazo a Castro, que se cae y se rompe la crisma. No pude negar que el montaje era divino, perfecto. A eso se dedicaban los cubanos: desde que se inventó Internet sólo se mandan chistes de este tipo por e-mail, y desde que se inventaron los blogs sólo dejan comentarios insultándose entre ellos, bajo anónimos. Si toda esa energía la hubiéramos invertido en meterle un balazo en el cráneo a Castro desde el inicio, cuánto tiempo desperdiciado nos habríamos ahorrado. Empecé a volverme cínica.

Me tomé muy a pecho el fracaso de la Copa Mundial y, para olvidarlo, me fui a Roma cinco días. La primera tarde resbalé en la célebre escalera creada por Michelangelo, La Cordonnata, y me pasé el resto del tiempo con la rodilla hinchadísima, cojeando.

¡A Roma nunca más iré en verano! Aplasté mosquitos de la talla de elefantes. Había colas en todas partes, incluidas las pequeñas iglesias sin importancia. «Roma-Amor», leí en una pared. Me estaba pareciendo cada vez más a mi madre. Y, de súbito, la guerra en el Líbano.

Tenía a una amiga con sus cuatro hijos en el Líbano. Nos enviamos mensajes en sms. No comprendo este mundo de hombres. Todas las mujeres debemos reunirnos, debemos decir basta al armamento mundial, deberíamos acabar con las armas. La guerra me idiotizó.

Marcela también se hallaba en el Líbano. Mi otra amiga pudo escapar con sus cuatro hijos, con su cuñada, el marido de la cuñada y sus dos hijos, pero no fue fácil. Marcela se quedó trabada en la parte peligrosa de la ciudad.

Guerra en Oriente, canícula en Francia. En Roma sólo se hablaba del cabezazo de Zizou. Guardé cada uno de los sms de Tallulah en el Líbano, durante la guerra:

¿Que si tengo noticias del Líbano? Querida Yocandra, las noticias las estoy viviendo en directo. Estamos aquí, con los niños. No creo que Israel ataque la parte cristiana, pero estamos bloqueados con todas las posibilidades agotadas, al menos por el momento. Sólo nos queda esperar. Besos, y gracias.

Otros sms:

No, querida, no me encontraba en Cannes. Y así, de este modo, estoy en el Líbano. Iremos a Cannes, normalmente, si conseguimos salir de aquí. Lo habíamos previsto para el mes de agosto. Besos.

Creo que seremos evacuados en breve por los franceses.

Seguimos en el Líbano, una semana más tarde, pero los franceses llegarán pronto, debemos darles tiempo para que organicen el salvamento. Tal vez salgamos de aquí, calculándolo bien, alrededor del martes.

Tallulah es cubana, casada con un libanés.

No te inquietes, estamos en zona cristiana. Todavía no nos han bombardeado. Besos.

Gracias por tu inquietud, te tendremos al corriente.

Hablé con un funcionario del Quai d'Orsay enviado por unos amigos con nuestros nombres, y es posible que salgamos de aquí en el segundo barco. Esto me recuerda el Mariel y el bombardeo de huevos pero, claro, aquí la muerte es bastante más concreta. Psicológicamente y físicamente no es lo mismo, me avergüenza exagerar, pero la sensación de vivir la incomprensión humana es muy impresionante, y marca para siempre.

Cuando me inscribí en la embajada me preguntaron si había enfermos. Dije que tenía una enfermedad importante pero no quise citarla, aunque tampoco puedo negarla. S. ha utilizado todas sus relaciones, pero nada... No te preocupes, los franceses no nos olvidarán. En donde estamos no hay peligro. Besos.

Estamos bien. El embajador francés tiene ya nuestros nombres en su poder. No sé lo que esperan. ¿Sabes?, en Chipre hay tranques, embotellamientos. Es posible que ellos prefieran que nos quedemos aquí, porque aquí donde estamos no está pasando nada malo por el momento. En fin, yo creo, no sé... ¡Espero que no nos olviden!

Nada.

Ahora me dicen que ellos nos llamarán. El embajador nos informó que se ocuparía de nosotros personalmente.

Mañana nos vamos.

Gracias por tus mensajes esperanzadores.

La cita es a las dos en la embajada. De ahí, pienso, que nos conducirán a un local, tal vez al liceo francés, y después al puerto. El barco parte invariablemente a las cinco de la tarde. Iremos a Chipre, y de ahí, bien nos embarcarán en un avión el mismo día o, por el contrario, tendremos que esperar, pero eso ya será lo menos importante. De cualquier manera, S. nos reservó un hotel, por si acaso. Todo esto será largo, pero ¡estaremos sanos y salvos! Besos.

Ya salimos de la embajada y nos llevan en ómnibus al puerto.

Estamos en el barco, partimos a las siete de la noche y llegaremos a Chipre a las cinco de la madrugada.

Partimos.

Ahora nos llevan a un campo militar al borde del mar, donde estaremos más confortablemente instalados que en el puerto, porque nuestro avión emprende vuelo a las tres de la madrugada. Besos.

Estamos salvados, cansados y tristes. Dentro de poco nos restableceremos. Te mando un abrazo, y gracias por tener tan maravillosos amigos como ustedes.

Tallulah no paraba de mandar estos mensajes a los amigos que ansiábamos recibir sus noticias, desperdigados por cualquier parte del mundo.

¡Ya estamos en casa!

Con Marcela me costó más trabajo comunicar. Su trabajo de fotógrafa se lo impedía, y ella se hallaba en zona de peligro.

Mi querida Yocandra, mañana, Marcela la árabe atravesará la frontera. Como podrás constatar, estoy pasando unas vacaciones de puta madre. Los israelíes son muy gentiles, jejejeje. No paran de romperlo todo y de matar niños que los palestinos les ponen por delante. A ellos se los matan también a tiro de *roquettes*. Pero, si no, todo está bien. Hace un clima espléndido y, ya sabes, entre los terroristas todos nos sentimos de maravilla. En fin, si por azar no nos vemos nunca más, no te olvides de que al menos nos hemos reído juntas. Un gran beso de coco. Marcé, cé, cé lá, lá, la, qué bolá, un poco de rap para calmar a Hezbollah...

Marcela no cambiaba, en los peores momentos hallaba inevitablemente la manera de hacerme reír. En otro mensaje me proponía diez soluciones para calmar la canícula en Francia:

Diez astucias para vencer la canícula:

1. Beber mucha agua, aunque no tenga sed. (Ya saben, los viejos meándose en todas partes, y los no tan viejos también.)

2. Vestirse con colores claros, preferiblemente blanco. (Jamás lo haré, siempre me vestiré de negro cerrado. Porque, de blanco, capaz de que me confundan con un miembro de la secta de Raël.)

3. Cerrar las persianas. (En los únicos meses en que podemos disfrutar de los rayos solares, y para colmo, hay que esconderse en la penumbra, *ça vas pas la tête?*)

4. Abrir las ventanas solamente en horas nocturnas y cerrarlas en las horas diurnas. (¿Y por qué no lanzarse definitivamente de una de las ventanas, ya que estamos? No tendríamos más problemas de canícula, de guerras, ni de nada.)

5. Comer fresco. (¿Qué querrá decir «comer fresco»? O sea, ni un triste *panini*, ni una torreja, ni más frijoles negros? ¿«Comer fresco» no querrá decir simplemente beber solamente agua? Bueno, entonces, ver o «beber», inciso uno de estas diez astucias, de este modo no perdemos tiempo y de paso perdemos peso, nos volveremos anoréxicas.)

6. Colocarse en la sombra. (¿Cuál sombra?, ¿la de «las muchachas en flor»?)

7. Si usted percibe a un viejo seco, riéguelo. (Primero tendré que pasearme con una regadera en mi bolso Dior. Después, supongo que los viejos habrán sido prevenidos, porque con la mala leche que tienen algunos ancianos, por lo menos nos arriesgamos a que nos acusen de maltrato físico, o que nos metan un puñetazo en una glándula mamaria.)

8. Abra y cierre la boca para dejar pasar el aire. (Puedes imaginar a las viejitas por la mañana en la panadería, con su media *baguette*, abriendo y cerrando la boca... Cualquiera las compararía con pececillos dorados.)

9. Refrésquese en la piscina más cercana. (¿Y por qué no en mi casa, bajo la ducha, en mi bañadera? Ah, sí, entiendo, por tacañería, para no pagar más agua de lo normal,

aunque en Francia no existe el hábito de usar el agua para uso externo y frecuente.)

10. Pensar fuertemente en el invierno. (Y a la inversa, en invierno pensar fuertemente en la canícula, supongo.)

Estuve leyendo estas astucias en un periódico viejo que me cayó en las manos; en medio de una guerra, mientras esperas a que te maten, leer noticias como éstas en periódicos viejos resulta bastante reconfortante.

Marcela pudo salir por Siria, en taxi, bajo explosiones y tiroteos. Le quitaron todas las fotos allí, pero nos bastaba oírla contar sus anécdotas en el patio de Beautreillis, mientras cenábamos puerco asado, arroz congrí, plátanos tostones fritos y bebíamos cerveza, bastante tiempo después, cuando pudimos por fin reunirnos nuevamente.

En aquella ocasión la Sabandija vino hacia mí, me preguntó por mi marido. Le dije que se encontraba ausente, trabajando; no me gustaba darle demasiadas explicaciones, por aquel tiempo ya se sospechaba de él como el posible ladrón en la casa de una célebre pintora cubana que le había abierto generosamente sus puertas. La confirmación no tardó en llegar de parte de la propia artista. Y, por encima de todo, ¿cómo olvidar que mi madre había fallecido por su culpa antes de lo previsto?

De inmediato me alejé de su presencia nauseabunda, a tabaco, por demás. Aproveché que vi luz en el taller de Umber Hinojosa y me dispuse a visitarlo; dejé a la Sabandija Cubana con la palabra en la boca.

Umber Hinojosa pintaba en dimensiones cada vez más gigantescas, como si con cada cuadro quisiera ofrecerse un trozo de país perdido. Los colores iban del siena a los azules caribes. Atrás habían quedado aquellos personajes escondidos detrás de gafas negras que ocultaban la mirada, personajes grotescos que gritaban desesperados por fugarse hacia el infinito.

Quedé impávida ante el lienzo descomunal que estaba terminando. Montones de maletas amarradas entre sí conformaban un doble muro ondulado, laberíntico. Frente a la entrada de esos muros se encontraba detenida una muchacha, quien a la vez cargaba ella también una maleta. La joven se mostraba indecisa, como si no supiera si debía finalmente perderse en aquel montículo permeado de recuerdos guardados o conservados en extraños baúles.

—Es un hermoso cuadro, misterioso —susurré.

Hinojosa había dejado la puerta de su *atelier* entreabierta y no se había percatado de mi entrada silenciosa. Cada vez me hundía más en el silencio, lo perfeccionaba mejor. Volteado hacia mí, sonrió.

—Además, describe muy bien el estado en que me encuentro. Estamos muy conectados —susurré.

—Sí, siempre lo estuvimos. —Sonrió Hinojosa nuevamente; siempre sonreía de manera transparente, el rostro achinado, aniñado—. Desde aquella novela en la que describiste mi pintura, aquella en la que hablabas de delfines azules.

Asentí.

—Hace tiempo que quería hablar en serio contigo... Nunca nos pediste consejo ni a mí ni a Funchal, pero no nos gusta ese tipo con el que repentinamente te casaste. Es una especie de sabelotodo ignorante. Fui a la boda porque eres mi amiga...

—Lo hice para resolver un problema, y no niego que me divierte. No es mala persona, ustedes lo conocen mal... —lo paré en seco—. Tampoco ustedes me consultan cuando cambian de mujeres, y eso ocurre intempestivamente.

—No exageres, tampoco sucede a menudo. —Volvió a reír.

—Me gustaría mucho, un día, si publico un libro sobre el exilio, que sea ese cuadro el que aparezca en la portada.

—No tengo ningún inconveniente. Por mi parte, puedes usarlo, está a tu disposición.

Conversamos un rato más. Umber bajó la música. Mientras pintaba escuchaba a la soprano Ileana Cotrubas, en el papel de Nedda en la ópera *Pagliacci* de Ruggero Leoncavallo. Mientras que Umber pintaba bajo los efectos del rock o de la ópera, Ariel Funchal prefería pintar oyendo a Barbarito Diez y a Los Muñequitos de Matanzas.

—¿Tú crees que falta mucho para que regresemos a Cuba? —solté súbitamente.

—No sé, jamás me hago esa pregunta. —Y volvió a sonreír, con el pincel entre los dientes, mientras se subía los pantalones, que se le caían de grandes.

—¿Bajaste de peso?

—Sí, estos cuadros me toman mucha energía física.

Estuve un rato más, ambos en silencio, sólo interrumpido por los rasguños del pincel en el lienzo.

Me despedí, la luna llena bañaba el patio. Marcela y el Cineasta recogían los restos de la cena. La Sabandija Cubana acechaba.

La Sabandija Babosa se detuvo a la entrada del edificio. Me disponía a salir para regresar a mi casa, allí donde había construido un hogar con mi marido, y el bicharraco se interpuso en mi camino.

—Por favor, te ruego, ¿podrías prestarme el apartamentico tuyo por unos días? —De este modo me asaltó, sin darme chance a nada—. No tengo casa, mi amigo me botó de la suya, estoy en la calle y sin llavín.

El rostro de la Sabandija pasó de ser la mariconcita impertinente a transformarse en la frágil mujercita con aspecto de rata, bastante masculina, pero no por eso más fuerte, sino más bien desvalida en su masculinidad.

Dudé. Y ése fue mi primer error.

—Te lo ruego, mira que tendré que dormir debajo de un puente.

—¿Y ninguno de los vecinos de aquí te ha permitido pernoctar en su espacio?

—No se lo pedí a nadie aún, siento vergüenza, no suelo molestar —su voz sonaba cada vez más desleída.

Hice un intento de llevarme la mano al bolsillo, vacilé nuevamente. Reflexioné demasiado rápido. ¿Qué guardaba yo de valor en el estudio? En realidad, poca cosa: cartas, documentos sin importancia. Un manuscrito. Pero a la Sabandija no le interesaba la literatura para nada, al menos eso repetía sin cesar. No leía, y ni siquiera avizoraba hacerlo, no estaba en sus planes inmediatos. Quería producir música, o abrir una galería y exponer pintores franceses, porque detestaba la pintura cubana. O sea, que así, de ramalazo, no vi ningún inconveniente, aun cuando tenía en mi poder la información del robo a Gloria Piñón, y la certeza de que mi madre había muerto por hacerle caso a su descuidado comentario, pero de esto último no podía culpar a la Sabandija Cubana. Sus ojos se entrecerraron aguados, la imaginé durmiendo bajo un puente y esa visión acabó por conmoverme.

—Toma la llave. Hay ropa de cama limpia en el clóset de la izquierda de la cama. Y alguna bobería para que desayunes en el refrigerador. ¿Tienes dinero?

—Mi situación no es boyante, pero por hoy no me hace falta. Gracias. —Me sorprendió la sequedad con la que me agradeció que le prestara mi pequeño espacio.

Dio la espalda y se dirigió a la puerta de la derecha.

Entonces divisé la figura medio encorvada de Migdalia. Ella era la única que había faltado a la cena que había ofrecido Marcela; venía de vuelta de Saint-Paul.

No me gustó nada el rostro tan seco con el que me saludó:

—Acabas de cometer un grave error, pero no hay nada que pueda yo impedir. —Suspiró, como si hubiera presenciado mi intercambio de palabras con la Sabandija Cubana.

—Esperemos que no, Migdalia, esperemos que no...

—En cualquier caso, no le cuentes nada, nada de nada de tu vida. —Migdalia desapareció detrás del pesado portón.

—Oye, Migdalia, vieja, sigo oyendo voces —me dio tiempo a comentarle.

—¡Escríbelo, escríbelo! —exclamó desde el interior, y el eco repercutió en las antiguas paredes de piedra de talla.

En la rue Saint-Antoine paré un taxi que me condujo a mi torre de cristal, donde me esperaba Fidel Raúl, que a esas alturas ya detestaba asistir a las fiestas trasnochadas, como él las llamaba, del vecindario o del solar de Beautreillis.

Sí, me dije, todo estaba escrito en ese manuscrito que acababa de dejar a la merced de una sabandija.

La Sabandija Cubana se frotó las manos de gusto una vez que se halló solo en el centro de la saleta. Empezó a revisar rincón por rincón minuciosamente, registró los más mínimos espacios, gavetas, leyó cuanto papel encontró en su camino, aunque el manuscrito lo dejó para saborearlo despacio. Pero desde ese primer instante en casa ajena, la Sabandija Cubana ya tenía su plan en la cabeza, estructurado única y exclusivamente para hacer daño.

Una de aquellas cartas cómicas que Marcela seguía enviándome, por sms, pero también por correo, se deslizó de dentro del manuscrito y cayó a sus pies. La recogió y leyó en alta voz:

Algunas astucias antes de tomar el metro:

1. Por favor, lavarse los dientes después de una comida con queso y vino tinto.

2. Por favor, para algunas mujeres: afeitarse, lavarse y desodorizarse las axilas. Lo mismo para algunos hombres, exceptuándolos del afeitado, aunque en mi barrio gay-judío-chino he visto a hombres con el cuerpo entero rasurado.

3. Lavar las vestimentas de un verano para el otro.

4. Por favor, para algunas mujeres, lavarse la tota dos o tres veces por día: en verano eso suda y apesta horriblemente. Y como en verano no están los abrigos gruesos de lana para disimular la peste, ¿eh?, bien, el mal olor fulmina, tanto como los *sprays* antiinsectos.

5. Llevar consigo un abanico español o chino, perfumado, de preferencia chino, lo que haría tendencia revolucionaria.

6. Ponerse falsas nalgas, o sea, rellenos, tipo la diseñadora inglesa Vivienne Westwood, para evitar las caricias depravadas de los individuos que pululan en verano en búsqueda de un acercamiento romántico, lo que en Cuba llamaríamos repelladores de guagua.

7. Llevar un alfiler, visto que los acercamientos románticos, cuando el metro va demasiado lleno, pueden dejarla a una embarazada.

8. Llevar una lectura de verano si usted desea el acercamiento romántico sin caer encinta. Una lectura de verano, en algunas ocasiones —la mayoría—, puede servir de contraceptivo; o bien depende, según la calidad de la lectura, usted podría perder para siempre la fertilidad.

9. Llevar con usted una botella de agua —la talla más grande que encuentre—, eso le da a usted un aire, o sea, tendencia de pertenecer a la juventud católica.

10. Calzarse con zapatos planos para impedir las heridas graves en los dedos de los turistas. (Hace poco recogí un mocho de dedo sueco cortado de un tajo por un pisotón de un tacón Dolce and Gabbana. Lo peor es que el sueco en cuestión salió disparado del vagón y no pude devolverle el trozo de falange. Por cierto, leía una lectura *people*.)

Atención a los turistas suecos:

Desde hace algunos días (ver: quizá algunas semanas), no sé qué hacer con el trozo de dedo. Decidí depositarlo en la comisaría del bulevar Bourdon, frente al pequeño banco donde *Bouvard et Pécuchet*; en fin, tanto peor para Flaubert, ¡no es ahora precisamente el momento de citarlo! También deposité una denuncia contra X por usar peligrosos (leer: demasiado peligrosos) tacones altos en plena temporada de verano.

Esa nota sencilla, en tono jocoso, de parte de Marcela, bastó para que la Sabandija sintiera enorme curiosidad por el manuscrito. Empezó a manosearlo esa misma noche, y aunque se encontraba completamente sola, leía furtivamente, con temor a ser sorprendida en pleno delito delirante.

De dentro del manuscrito se deslizó un papel doblado; se trataba de una carta del Nihilista dirigida a mí. Sin duda consistía en una nota antigua, en la que hacía uso de una broma bastante pesada, pero con lo que la Sabandija se frotó aún más las manos.

Lo vamos a hacer en plan serio porque, al final, te respetan más cuando les cantas las cuarenta que si te quedas callado. Si ganamos, ya verás... Vamos a pedir de inmediato la invasión de Cuba, por parte de cualquiera, nos da igual, desde Estados Unidos hasta Israel; el primero que quiera apuntarse a cargar con esta isla de mierda será bienvenido. Nuestro anhelo más ferviente, subrayaremos, será devenir colonia. Hasta Haití nos haría un bien enorme colonizándonos. Nos da igual hablar inglés que hebreo. Excluimos a la Arabia Saudí porque no necesitamos ser tan ostentosamente ricos.

De paso, deberíamos exigir a la Unión Europea que se tomen medidas con los esclavistas españoles y franceses. Nada de expulsarlos, sino que, durante los próximos cincuenta años, tendrán que indemnizar a cada ciudadano cubano. Los franceses se verán obligados a construir gratis el metro, los túneles y todos los sistemas de comunicación por aire y por tierra. El Concorde, ese avión de ensueño, deberá ser más barato que la guagua, o totalmente gratis para cada cubano. Por otra parte, como el sistema educacional de este país durante estos cincuenta años ha sido valorado como impecable por algunos, no eliminaremos las escuelas castristas. Incluso recomendaría a Barack Obama que enviara a sus hijas becadas en la Lenin, ¿querría algo más seguro?

A Mariela Castro le daremos el barrio de Colón para que organice los sindicatos de la prostitución, porque las prostitutas tendrán derechos y Seguro Social, como en Francia.

Raúl y Fidel irán de cabeza p'al tanque, *presos en La Cabaña. Y las Damas de Blanco, una vez liberados sus familiares, irán cada domingo a meterles a estos dos hijoeputas un gladiolo por el culo.*

Me destimbalo de la risa sólo de pensarlo, y es que ya lo único que nos queda es reírnos de nosotros mismos...

El Nihilista

La Sabandija volvió a doblar el papel y lo guardó en el bolsillo de su abrigo para sacarle fotocopia al día siguiente, y continuó leyendo el manuscrito.

Capítulo doce

El otro día, durante una visita a unos amigos, dije que el ser humano debería liberar su lado sombrío.

Todo el mundo aprobó mi propuesta. Y, de golpe, empezaron a hablar del nuevo presentador del telediario en TF1: Harry Roselmack.

El racismo posee sutilidades laberínticas. Sombrío igual a negro.

—Thierry Ardisson se fue, pero regresará —aseguró una dama.

—Patrick Poivre d'Arbor también —confirmó otra.

¿Regresará un buen día Bernard Pivot con sus emisiones literarias? Esperémoslo, necesitamos con urgencia de su presencia.

Del capítulo doce saltaba al catorce.

Sí, aunque no sea supersticiosa respeto a los que lo son. No habrá capítulo número t... que pueda herir la sensibilidad de mis lectores.

Encendí la tele, la pantalla estaba llena de políticos secos. Rocié la pantalla, siguiendo las astucias de mi amiga Marcela para vencer la canícula.

Además, cené fresco, una ensalada de verdolaga con un vaso de agua.

Empecé a cagar verde. Ya me enfermé, por querer estar más sana que nadie.

No creo que consiga jamás enamorarme de nuevo, y de ninguna manera de Fidel Raúl. Aun cuando consiga que sea un marido estupendo.

La Sabandija extrajo una cámara de fotos y fotografió en diversas posiciones el manuscrito, esa página, y el fragmento que acababa de leer.

No consiguió dormir en toda la noche, leía fragmentos y sacaba fotos digitales de las páginas. Fragmento del capítulo quince:

París-Playa

Si usted es un mendigo... A ver, por favor, sé más política: si usted es un Sin Domicilio Fijo, y posee usted una de esas tiendas o cabañitas espantosas ofertadas por la alcaldía de París, o sea, compradas con los impuestos que pagan los comemierdas de la clase media de este país, y la Cruz Roja, para embellecer las noches blancas de invierno cerca del Sena, sepa que en la «bella temporada», como le llaman aquí al verano, usted estará obligado a mudarse bien lejos del río. ¿Por qué? Porque en verano usted es feo, su presencia resultará desagradable. Porque en verano hay, ¿qué?

¿Qué es lo que hay en verano en el borde del Sena?

¡París-Playa!

Algunos millones de euros en arena, cabañitas rayadas escupidas de chorritos de agua podrida, y turistas de los suburbios. Turistas pobres, lo peor que existe sobre el planeta: turistas sin un céntimo.

Pues sí, así es, hay que seguir los vientos políticos, perdón, la ventolera decorativa, y respetar el deseo de recreación ciudadano, y usted, bajo su triste tienda de campaña de mendigo, molesta la visión del paisaje soleado.

Además, para los otros, usted no es más que una mierda. Una mierda extranjera, para colmo atravesada.

Terminó la lectura al alba. A las nueve en punto de la mañana ya tenía un sobre preparado con todas las copias impresas que había hecho del manuscrito, más un disquete que contenía las fotos tomadas del documento. Introdujo los pliegos y el disquete en un sobre, lo selló, anotó la dirección del gabinete de arquitectos de Fidel Raúl y lo posteó a su nombre en la oficina de correos más cercana. La Sabandija no tuvo que averiguar la dirección de mi marido, consiguió copiar minuciosamente todas las direcciones de una agenda de direcciones y teléfonos guardada en la gaveta de mi mesa de noche.

Regresó sonriente, una baba amarillenta cubría sus desgastados dientecillos. Tropezó con la sombra de la guardiana y, más adelante, con una legañosa Migdalia que se dirigía a registrar en la basura, porque el día anterior se le había ido en el saco una factura de la electricidad sin pagar.

—Estoy comiendo mierda, además de que las visiones que padezco me han alterado enormemente... —iba mascullando palabras para sí cuando reparó en la Sabandija—. ¿En qué maldad andarás tú, que te veo tan contento?

—En nada, Migdalia, en nada. O más bien en todo, en este todo tan...

—Sí, no lo digas, en este todo tan pérfidamente cotidiano... No he dormido nada, y para colmo dentro de un rato debo irme al curso de español. Los estudiantes me esperan... Me he pasado toda la noche comunicando con el espíritu de José Martí. Pero, figúrate, se me aparece como un transexual, y quiere llamarse Mari Trini, vivir en Miami, y ser la diva de un cabaret llamado ¡Azúcar! Dice que está harto de ser el apóstol, y de que todo el mundo lo coja para el trajín, citándolo a diestra y a siniestra, más a siniestra que a diestra... ¿No es un horror?

—Es casi contrarrevolucionario —remachó la Sabandija.

La mujer le dio un revirón de ojos, por fin pescó la factura grasienta de la electricidad entre unos rastrojos de Pizza Hut y se volvió hacia la escalera.

—¿Tú te crees que todavía vives en Cuba? Ten cuidado, porque en cualquier momento te vas a ganar un retongonal de galúas.

El otro puso cara de inocente, apocó su cuerpo encorvándose y desapareció por la puerta de la buhardilla. Encerrado a cal y canto, empezó a redactar su informe para el departamento consular de la embajada castrista en París en contra de Yocandra, de Migdalia, de Fidel Raúl y de cuanto cubano compartía apartamento o *atelier* en el inmueble.

Terminó extenuado, con fiebre de 38 grados; abrió su computadora portátil, se fue a los blogs de exiliados y empezó a dejar insultos y amenazas firmados todos bajo seudónimos o anónimos.

Sólo la bajeza permitía que se sintiera en el colmo de la utilidad. Antes de acostarse, descolgó de la pared la obra de Wifredo Lam y la escondió en un maletín de mano.

El Cineasta tocó a mi puerta; no a la de la calle Beautreillis, si no a la del apartamento de Fidel Raúl. Se veía nervioso, y en la mano traía una mochila de cuero despellejada por el traqueteo y el uso.

—¿Qué haces aquí, Samuel? —pregunté como una tonta, sin invitarlo a entrar.

—¿Puedo?

Asentí con la barbilla, me puse a un lado y dejé que entrara antes que yo.

—¡Tremendo gao! —exclamó mientras observaba en derredor.

Hice ademán de que tomara asiento. Me hizo caso, aunque señaló que estaba apurado pero que tenía que hablar conmigo con toda urgencia. Le pregunté si me aceptaba un café. Aceptó. Colé el café en la Nespresso, y me acomodé frente a él luego de colocar dos tazas humeantes en una bandeja, con dos vasos con agua, azúcar y una jarrita con leche. Se disparó el café de un sorbo, sin azúcar.

—Mira, Yocandra, tengo que alertarte. Te explico primero cómo me he enterado de todo lo que te contaré. El propietario, el señor Ducon, me pidió que instalara cámaras en todos los apartamentos de los edificios.

Me puse de acuerdo con algunos vecinos y llegamos a un acuerdo. Le entregaríamos videos absolutamente falsos a Ducon; con tal de ganar dinero, le montaríamos un número, pero jamás me prestaría a filmar la vida diaria de la gente. Entonces, un grupo de vecinos decidimos montarle un show, actuar una especie de realidad falsificada, así él creería que ésa era la vida de nosotros en la intimidad. Me pagaba, y yo compartía el dinero con los demás. Resulta que en tu estudio yo había puesto una cámara también, hace tiempo, cuando todavía vivía su hija, la loca Ducon...

—¿Y me has filmado? ¿Me has filmado a mí? —Por nada le voy para arriba a piñazo limpio.

—No, espera, nunca eché a andar esa cámara mientras tú has vivido allí, jamás. La hija de Ducon actuaba también para nosotros. Pero lo hacía tan bien que nosotros jamás pudimos ni siquiera sospechar que lo que sucedía era que se estaba volviendo loca. El padre veía esos videos, y lo que para nosotros eran *performances* geniales, para él resultaba un horror, y un convencimiento de que debía encerrar en un hospital psiquiátrico a su hija. Lo hizo, por mucho que le hablé, que le dije que todo eso era falso. No me creyó, pero resulta que los médicos, y hasta ella misma, están seguros de que se trata de un grave caso de demencia. Entretanto yo olvidé esa segunda cámara instalada en tu saloncito, nunca la quité. Quiero decir, jamás la activé... Pero, el otro día, estaba yo a punto de salir del sótano cuando te oí conversar con la Sabandija, y te vi entregarle una llave, y prestarle tu estudio. Entonces, como ese *Ello*, siempre me ha caído como una bomba de neutrones, decidí activar la cámara. Y filmé esto...

Me extendió una llave de almacenamiento de memoria USB, ahí podía ver todo lo que había filmado. De este modo observé horrorizada a la Sabandija registrando todos mis muebles, rebuscando en mis manuscritos, fotos, documentos. Lo vi encontrar la carta del Nihilista, leer el manuscrito, meter la copia de mi manuscrito en un sobre, escribir la dirección. Mientras más hacía y deshacía, más le resplandecía la cara de júbilo. Entonces advertí que descolgaba el Elegguá de Wifredo Lam y lo guardaba dentro de un maletín.

—¡Me robó el cuadro! Pero el manuscrito, los documentos... ¿A quién se los habrá mandado? —pregunté, ingenua—. Es preocupante, muy preocupante.

Samuel hizo un zoom al sobre y pude leer el nombre del destinatario: lo había enviado a Fidel Raúl.

—Está loco, éste está loco... ¡Me ha robado el Lam! ¡Está loco!

—No, no está loco, es un hijo de la gran puta. Otro más. —Suspiró y continuó—: Después hablé con Migdalia, ella me contó que se lo había encontrado en el patio.

Y entonces Samuel reprodujo la conversación que la institutriz tuvo con la Sabandija.

—Lo que más me preocupa es la carta del Nihilista; el Lam es lo de menos, con esta grabación podremos recuperarlo —reflexioné en voz alta.

—No creo que te comprometan con nada, los documentos, quise decir.

—Bueno, no a mí, no a mí, seguro que no... Pero...

En eso, escuché el ruido que hacía el ascensor cuando lo llamaban desde abajo. Consulté mi reloj de pulsera; podía ser mi marido, a esa hora llegaba cuando no estaba de viaje.

—Saca la memoria USB, ¡rápido! Vete al pasillo, corre, no quiero que Fidel Raúl te coja aquí.

—¿Y eso qué tiene que ver? No hemos estado haciendo nada malo.

—Pero no quiero que te sorprenda conmigo, ¿no ves que no es normal? Es celoso, sobre todo eso... ¡Dale, corre!

Lo empujé hacia fuera, le señalé la puerta de la escalera de servicio. Me hizo señas de que no bajaría por ahí, tantos pisos, ni muerto. Se abrió el ascensor y apareció Fidel Raúl. Hubo justo el tiempo para que Samuel se escondiera en el hueco de la escalera.

—¿Eh? ¿Y eso? ¿Me estabas esperando en la puerta? —en seguida que pronunció esas frases interrogativas olisqueó en el aire.

—¿Estabas fumando?

—¡Qué va! ¿Fumar, yo?

Entró y miró las dos tazas de café:

—¿Y las dos tazas?

—La guardiana del inmueble pasó y nos tomamos un café.

Fidel Raúl se sentó frente a la taza en la que había bebido Samuel, la tomó cuidadosamente por el asa, se llevó el borde a la nariz y olió.

—Philip Morris Blue con filtro... ¿No es lo que fuma ese tipo? ¿Samuel, *el Cineasta*?

Me ericé de pies a cabeza.

—Hay tanta gente en París que fuma esa marca de cigarrillos...

—Sí, pero poca gente en edad de fumar se perfuma con colonia para bebés... Es el caso de Samuel, lo advertí hace tiempo.

—Pero ¿cómo puedes tener esa retentiva? —inquirí, fingiendo sorpresa.

—Es parte de mi trabajo. —Ahí cometió su primer error.

—¿De tu trabajo?

—Es un decir. —Se levantó, se desabrochó la corbata, se me acercó, intentó besarme, pero no lo hizo—. Mejor nos apuramos, me gustaría ir al cine, pero temprano. Mañana tengo que coger un avión para Cuba. ¿Samuel pasó o no por aquí?

—No pasó, te lo juro.

No recordaba que me hubiera avisado de que debía viajar a Cuba. Advirtió que mi rostro había cambiado, se sintió entrampado y abandonó las preguntas sobre Samuel.

—No es un viaje de trabajo —sonrió—. A mi ex mujer se le ocurrió llevar a los niños a Cuba. Entonces tendré que ir a buscarlos a Miami, luego regresaré por Francia, y lo que queda de vacaciones de invierno lo pasarán aquí con nosotros, si tú estás de acuerdo.

Asentí, hacía tiempo que me había prometido que conocería a sus hijos, y jamás los había invitado a la casa. Tampoco a su madre. Sólo había hablado por teléfono con una señora bastante seca, que me llamaba «mi nuera», en francés, o sea, *«ma bellefille»*.

Vimos una película tonta de espías, un bodrio hollywoodiense de los que Fidel Raúl adoraba. Cenamos en los Campos Elíseos. Al regreso, intenté ayudarlo a hacer la maleta, y no me dejó. Me vino bien, me puse a llenar unos papeles para un curso de arqueología en el Louvre al que deseaba presentarme sólo para escribir sobre un personaje que en una próxima novela sería arqueólogo.

Al día siguiente, Fidel Raúl tomó un taxi. Antes me besó en los labios más apasionado que nunca, me entregó una llave que yo veía por primera vez y me explicó lo siguiente, con los ojos bajos:

—En caso de que me pase algo, todo está a buen recaudo en el banco, y puedes abrir la caja fuerte con esa llave. Pero leve indicación: mi madre es la única que puede dar la autorización para que tú la abras.

Ni siquiera me inquietó que me diera esas instrucciones; creo que, en lo hondo de mí, algo ya yo estaba sospechando sin aceptarlo del todo. Esperé a que terminara de hablar e intenté asegurarle que nada malo pasaría.

—Antes de irme, no me engañes: Samuel, *el Cineasta*, ¿estuvo o no en la casa? —inquirió, pesaroso.

—No, no estuvo, son ideas que tú te haces —hablé naturalmente, no se me notó el temblor interior.

—Ten cuidado con ese tipo, mucho cuidado, mami.

¿Por qué no pensé que de quien debía advertirme que tuviera cuidado era de él mismo?

Al cabo de quince días aún no me había llamado ni me había dado noticias. No me gustaba molestarlo cuando estaba con sus hijos, no es mi estilo. Pero empecé a preocuparme, porque no podía olvidar que seguramente ya habría recibido el manuscrito y la carta del Nihilista, y no tenía la menor idea de lo que pudiera pensar de eso. Llamé a su número y la voz grabada de la telefonía respondió que la línea estaba fuera de servicio.

Telefoneé a la madre. La misma señora con voz atabacada, aguardentosa y acatarrada, todo a la misma vez, respondió:

—*Oh, quel joie, ma bellefille!* —La hipocresía saltaba por encima de su intento de exclamación.

Pasados los saludos protocolares, indagué por su hijo. Ella tampoco sabía nada, ni idea, debían de estarla pasando muy bien cuando habían decidido ni siquiera telefonearle. Empecé a sudar frío.

Dos días más tarde. En medio de mi trabajo, mis alucinaciones, fui a ver a Migdalia. La Sabandija seguía en mi apartamentico. Toqué a la puerta. Abrió.

—¿Qué quieres? No esperes que me marche de aquí, no me puedes botar a la calle, estamos en invierno, y ya sabes que hay una ley... que impide el desalojo durante el invierno.

No me sorprendió la rudeza de su lenguaje, me lo esperaba.

—No vengo a botarte, vengo a... —Iba a cantarle las cuarenta, pero preferí no delatar a Samuel con su cámara; eso me permitiría que siguiera filmándolo—. Sólo vengo a saludarte. De hecho, sigo para casa de Migdalia. Pero en estos días tendré que hablarte de un asunto ahí.

—Ah, bueno, así, sí —recalcó con su prepotencia habitual.

Fue a cerrarme la puerta en las narices, pero hice un calzo con mi pie.

—¿Qué pasa ahora? —retó.

—Sucede que quiero entrar en mi casa, de la que yo pago el alquiler; necesito recuperar algo.

Di un empujón a la puerta y fui directa a rescatar mi manuscrito, que él había colocado impecablemente en el mismo sitio en que yo lo dejara.

—No he tocado nada, no soy fisgón.

—¿Dónde está el cuadro de Lam, el que estaba en esa pared?

—Lo guardé, me da miedo. No te preocupes, no se perderá nada. —Las sienes se le motearon de pequeñas gotitas de sudor, se notaba tenso.

Ni siquiera respondí, le eché una mirada de reojo y subí a ver a Migdalia. La institutriz se encontraba consultando espiritualmente a la Pliseskaya con Petro, el brasileño.

—Estoy en medio de unas visiones con estos caballeros.

—Perdona, te veo luego... —Hice ademán de marcharme.

—No, Yocandra, puedes pasar —contestó Petro—, a mí no me molesta, ¿y a ustedes?

Los demás aceptaron mi presencia.

La consulta terminó. Migdalia veía nefastos augurios. Harían un viaje a Gaza, y serían secuestrados por Hamás.

—Ninguno de los dos hemos pensado ir a Israel. —La cara del cubano era un poema—. No se nos ha perdido nada allí.

—A mí, sí, sí me interesa hacer el viaje; siempre he soñado con ir al país donde viven mis primas —subrayó el brasileño.

—Pues irás solo, que no estoy para que Hamás me jame vivo. ¡Sola vaya! —Pliseskaya se levantó y me besó en ambas mejillas.

Detrás se despidió Petro. Nos invitaron a degustar junto a los noruegos una *feijoada,* en celebración de que ya Hëno, la pequeña, había aprendido a montar en velocípedo en el tejado. No me extrañaba, recordé que esa niña siempre, desde su nacimiento, estuvo al borde del abismo.

—Los alcanzamos en un rato, debo registrar a esta muchacha, percibo una bola oscura encima de su cabeza... —me señaló Migdalia.

Antes de irnos a la cena, Migdalia se sentó encarranchada en el taburete, mordisqueó el tabaco y arrancó a hablar con una voz de hombre, de ultratumba. Era el médico haitiano que ella montaba a cada rato, un alma que se había enamorado de mí, y siempre me hablaba a través de ella:

—Tú tener mucho cuidado, niña.

Y a partir de esa frase en español, mal dicha, empezaba a expresarse en francés, en *patois*:

—Te irás de vacaciones, no sé, quizá sea por trabajo. A Nueva York. Estás trabajando en una novela donde hay algo de excavaciones de terrenos, mucha polvareda... Tienes ahora mismo algo entre manos con un cineasta, y con un pintor que se llama algo así como Hino... no sé cuántos, algo...

»Tu hermana será operada, nada grave, pero difícil para ella, que está gordita. Hará mucho calor en el mes de agosto en Nueva York, pero allá hay aires acondicionados por todas partes, por eso tienen tantos problemas energéticos, no dan abasto con la demanda... Tomarás un avión para Miami...

»Presiento la playa caliente como un potaje de garbanzos.

»Escucho mucho chismorroteo, demasiado barullo cubano.

»Aunque trabajas a diario, no logras terminar tu novela. Trabajarás en un documental, creo... Cada noche irás a bailar a un cabaret... El amigo desaparecido te dará buenas noticias... A tu regreso estarás muy cansada.

»No serán verdaderas vacaciones, será un remolino loco, no podrás reposarte, y en seguida te caerá encima el otoño, y la adversidad del invierno.

»Pero, antes de todo eso, veo prisión, traición, y cerrazón de tu parte. Todo eso ocurrirá en breve, en pocos meses, o días. Ese tipo que aparenta que te protege, ujum, no me gusta para ti... *Siá cará!*

Migdalia se quedó un rato como adormilada, los ojos en blanco, un hilo de baba enlazaba su labio con la pechera de la blusa; un escalofrío recorrió su cuerpo, y volvió en sí. Mojó su cabeza en agua helada, enrolló los cabellos en una toalla y me dijo:

—Tienes que hacerte un rogamiento de cabeza, esta misma noche. La cosa no está buena para ti.

Sonó mi celular: era mi marido desde La Habana.

Había perdido su móvil, era la razón por la que no se había comunicado conmigo. Había visto en dos ocasiones al Nihilista. Me extrañó, yo no le había pedido que lo fuera a ver. Después, el Nihilista desapareció, dijo. Unos amigos le habían informado de que era muy probable que hubiese caído preso en Villamarista. Nadie daba con él, como si la tierra se lo hubiera tragado. Ante mi silencio abrumador, intentó preguntarme sobre mí.

—Nada, estoy bien.

—¿Seguro?

—Claro.

—¿Aun con lo que te cuento del Nihilista?

—Anjá. ¿Vendrás con los niños?

—Justamente por eso te llamo. Hemos decidido quedarnos un tiempo más, luego decidiremos. Cualquier cosa, mi madre te contactará. ¿Has sabido de los amigos franceses del Nihilista? —Otro error de su parte, fue él quien me puso en la pista de ellos nuevamente.

—No, no tendría por qué.

Nos dijimos adiós, fríamente, colgó él primero.

Migdalia estaba poniéndose la chaqueta. Nos dirigimos a cenar con la Pliseskaya, Petro y los noruegos. Mientras los niños nos hacían demostraciones cada vez más suicidarias de cómo el mayor, Arôme, patinaba por los tejados y cómo la otra pedaleaba con el triciclo por los aleros, mi mente no cesaba de buscar en dónde había guardado los teléfonos de los franceses amigos del Nihilista.

Llegué esa noche al apartamento, me puse a contemplar el Sena. ¿Qué había hecho con mi vida? Una tremenda locura.

Un instante después empecé a echar abajo la casa; revisé recoveco a recoveco, con el objetivo de poder encontrar el papel donde había anotado las coordenadas de esas personas. Entonces, me llevé las manos a la cabeza, intentaba recordar, y ahí fue que noté, en lo alto de uno de los armarios, una tira de cuero que sobrepasaba y que me impedía cerrar la puerta de corredera. Cogí la escalera de la cocina y, subida en ella, aún me costaba trabajo ver lo que había dentro del compartimento; tanteé con la mano y halé la tira liada con una cartuchera. De la cartuchera resbaló una pistola cargada que al dar contra el piso disparó un tiro hacia el techo, a pocos centímetros de mi cabeza. Hubiera podido quedar muerta ahí mismo; no estaría contando esta historia. ¿Para qué Fidel Raúl escondía esa arma? Porque con toda evidencia la escondía. Grabada en la cartuchera, una estúpida frase de Castro: «Porque cuando un pueblo enérgico y viril llora, la injusticia tiembla.» Con esa frase había terminado aquel discurso —¿de un 6 de octubre?— cuando el sabotaje al avión de Barbados, donde murieron jóvenes deportistas cubanos en un vil acto de terrorismo que se decía que había organizado el propio Castro. En aquel avión viajaba un esgrimista, hermano de una compañera mía de preuniversitario.

Ése fue el último error. Comprendí todo. Fidel Raúl no era arquitecto. Mi marido era un espía castrista, un vulgar seguroso que trabajaba para los servicios secretos cubanos. Y la Sabandija cumplía misiones como informante de Fidel Raúl. De un golpe se me aclaró todo en la mente. Entonces sólo deseé una cosa, tirarme de la escalera contra el piso, morirme allí mismo, porque comprendí que había hundido mi vida, y que había jodido al Nihilista. Maldije, y lamenté que la bala escapada del arma no hubiera atravesado mi cráneo.

Caí desde lo alto de la escalera, pero no me dolió el cuerpo, aunque mi espalda traqueó al dar contra el piso. La cartuchera quedó a la altura de mis ojos; entonces, al fondo, divisé un rollito de papel muy bien doblado. Junto a varios teléfonos estaba el número de los franceses amigos del Nihilista. Me levanté con dificultad, un dolor agudo me punzaba en la zona del coxis.

Llamé, me identifiqué:

—Soy Yocandra, la amiga de...

El hombre me reconoció en seguida. Incluso se disponía a llamarme. El Nihilista había sido detenido, encarcelado. En verdad no había hecho nada malo, sólo le habían encontrado una especie de escrito que no se sabía muy bien si lo había redactado en broma o en serio, junto a otras pruebas falsas más. Lo acusaban de traición a la patria, de trabajar para una potencia enemiga, ni siquiera sus familiares podían visitarlo en la cárcel, además de que se hallaba a novecientos kilómetros de la casa donde vivían.

Conocían a una persona que intentaba ayudarlos...

—Creo que se trata precisamente de su esposo, es él quien hace todo lo posible por sacarlo de allí...

—Mire, necesito que informe a la familia del Nihilista de que no deje entrar nunca más a Fidel Raúl en su casa. Es un espía castrista, ¿me entiende? Es mi marido, pero es... es... es un cabrón espía, hijo de la gran puta... —La voz se me entrecortó.

Silencio del otro lado.

—Entiendo, pasaré el mensaje. —Y me tiró el teléfono.

Conseguí hablar con otras personas en La Habana. Junto al Nihilista cayeron otros disidentes, sus familias estaban desesperadas, me contaron los pormenores. Finalmente me desplomé extenuada en el sofá color marfil, que daba hacia el gran ventanal, a través del cual se veía todo París. Ahí me quedé dormida. Desperté a media mañana. Sin moverme del lugar, estuve despierta durante todo el día, contemplando inerte el paisaje. A lo lejos, de dos chimeneas emanaba un humo blanquecino que se espesaba en el cielo, semejante a nubes. Como si las chimeneas fuesen dos fábricas de nubes.

Llegó nuevamente la noche. Tenía la garganta seca, fui a levantarme para beber agua, y el timbre del teléfono de la casa me obligó a dar un salto de temor, ¿quién sería? Rara vez me llamaban a ese teléfono, yo sólo daba el número de mi móvil. Avancé con dificultad, el dolor asaeteaba mi espalda.

Era la madre de mi esposo.

—Mañana puedes ir a sacar todo del banco, sin aspavientos de ningún tipo, tranquila. Luego que obedezcas las instrucciones que están bien explicadas en el sobre azul, tomas el dinero y desapareces para siempre.

La voz ahora estaba cargada de odio, de cinismo. Apenas pude rogarle que me explicara un poco más.

—Mi hijo te explicará.

Recogí una maleta de ropa, poca cosa, las llaves, y dejé la casa sumida en un reguero impresionante.

Llegué a Beautreillis. Me enteré de que la Sabandija Cubana se había marchado dejándome la llave de mi estudio en el buzón de Funchal. Ahora vivía con el escultor caído en desgracia Rémy Dubois, o Remigio Díaz, que era su nombre auténtico. Se había llevado el Lam. Funchal me entregó la llave, pero pensó que no entraría en la casa.

Al rato Hinojosa vio la luz encendida, avisó a Funchal, y ambos se acercaron. Venían a despedirse; entonces me contaron su proyecto, se mudarían a Miami.

—¿Y eso?

—¿No te has enterado? Ducon vende el edificio, el muy comemierdón. Y nos pone a todos en la calle.

Les conté lo que ocurría con mi vida. Hicieron un silencio fúnebre.

—Bien, es muy penoso, lo sentimos. Nosotros veníamos a invitarte: esta noche hacemos una fiesta en casa de Jessica, la argelina. Vendrán todos los vecinos. Es, como supondrás, una fiesta de despedida.

Acepté, ¿qué otra cosa podía hacer? Y juro que no la pasé mal, doy fe de que incluso tuve la actitud tan extremadamente cínica y egoísta de pensar que me divertía por el Nihilista y por mí.

Nos acostamos casi al amanecer, en el apartamento de Hinojosa. Fue él el último que me dio un beso en la frente, y me susurró:

—Mi madre también traicionó a mi padre. Él nunca lo supo. Estuvo preso durante un burujón de años por culpa de ella. Apenas me enteré hace poco, me lo contó ella por carta...

Y se retiró.

Al alba, tomé una ducha. Vestida y desayunada, me dirigí al banco, a pocas cuadras de la casa; cojeaba, me dolía cada vez más la espalda.

La madre de mi marido ya había dado instrucciones de que me permitieran abrir el cofre. Me dejaron sola con la documentación.

En una carta firmada por Fidel Raúl explicaba que nuestro matrimonio había sido un fraude, que un falso alcalde nos había casado, que nada me pertenecía, que en efecto él era un alto oficial de la Seguridad del Estado castrista, que lo habían enviado a perseguirme para poder conocer el paradero del Lince, del que se sospechaba dirigía un grupo de la oposición en el interior de la isla desde Colombia, y que al comprobar que yo no poseía ninguna pista, y que conmigo obtendría cero información, que entonces le dieron la tarea de conseguir detalles, siempre a través de mí, sobre el Nihilista, que él estaba seguro de que ambos, el Lince y el Nihilista, trabajaban juntos, al unísono, bajo las órdenes del imperialismo yanqui.

No viajaría nunca más a Francia, se quedaría en Cuba con su mujer y sus hijos, su misión había terminado. En un sobre había dejado para mí mil euros. Mil euros... Así que él creía que ése era mi precio. Me autorizaba a destruir todo lo concerniente a nosotros, y me pedía que no regresara al apartamento, porque allí no encontraría nada. Dejé el dinero en el sobre y guardé todo bajo llave tal como estaba.

Retorné al apartamento de Fidel Raúl. Mi llave no entraba: habían cambiado la cerradura. Tampoco el guardián del inmueble que yo conocía era el mismo. Éste ni siquiera me había visto nunca, y me aseguró, con semblante inocente, que ese apartamento lo alquilaban una pareja con cuatro niños, franceses, desde hacía años. Sonreí irónica.

Estuve varios días deambulando, me hospedé en un hotel donde pasé no sé cuántas noches sumida en la más honda depresión. Mi mente vagaba junto a mi cuerpo, ambos vacíos.

¿Qué sentí después de todo esto? La mentira de Fidel Raúl, el engaño, la traición al Nihilista por partida doble... Nada, primero fue como un golpe seco en el pecho, un hueco en el centro por el que se iba todo, y luego nada. Y otra vez todo, un todo concentrado en un alarido reprimido.

Volví a Beautreillis. No quedaba nadie. Era un inmueble vacío, oscuro, y los obreros habían empezado a tumbarlo desde dentro; sólo guardarían la fachada, para levantar apartamentos modernos y reemplazar los viejos. ¿Adónde habían ido a parar mis vecinos? ¿Todos volatilizados? ¿Estaría volviéndome loca?

Me dirigí a la panadería, indagué con los panaderos, me informaron de que quizá los lampareros supieran algo; acudí apresuradamente a la *boutique* de lámparas del bulevar Henri IV. Migdalia me había dejado una nueva dirección en Andalucía. Petro y Pliseskaya decidieron mudarse a Israel. Los noruegos viajaron a la selva del Amazonas, no sabían si definitivamente. Jessica se fue con Funchal y con Hinojosa para Miami. La rusa me dejó una invitación para uno de sus conciertos en el Moscú de Medvédev. Milena regresó a su Polonia natal; con su letra pequeña había garabateado una dirección que apenas entendí. La Memé se había metido ella solita en un asilo de ancianos en el sur de Francia. Sherlock Holmes alquiló un ático en los suburbios londinenses. La familia Talleyrand decidió largarse a una isla en las Antillas; todo parecía indicar que a última hora se decidieron por Marie Galante, *belle île en mer...* El Dramaturgo y su esposa, en esos mismos instantes, estarían montados en un barco hacia Luxor en lo que sería el viaje de sus vidas, hacia Egipto. Marcela y Samuel andaban por el Líbano haciendo un reportaje.

Regresé lentamente al hotel, arrastraba los pies.

En la habitación, sentada en la cama, cerré los párpados fuertemente para no llorar. Luego comí algo, me senté frente a la computadora portátil y escribí mi columna para *El Economista.*

> Los periódicos, las noticias, me vacían el cerebro. Luego del telediario vienen los clips publicitarios: un anciano se dispone a comerse una galletica, su hijo se la arrebata y la devora satisfecho ante los atónitos ojos de su padre. En otra, una niña delante de un plato de suculentas pastas, el padre la amenaza, le cuenta una historia de terror y le dice que la castigará en una esquina. La niña llora. El padre se aprovecha para quitarle el plato de pastas y comérselo entero.
>
> La tercera, un padre sostiene las llaves de un automóvil, habla con su hijo, al que no vemos por el momento: «Y

bien, hijo mío, tal como te lo había prometido, aquí está tu carro.» Descorre una cortina y podemos ver a través de un cristal un hermoso auto nuevo. Finalmente, la cámara muestra al hijo, es apenas un bebé.

«Cada país tiene la publicidad que se merece», habría dicho la Gusana.

Divagaba. Me dieron ganas de llamar a la Gusana, pero mi mente se enredaba y no disponía de fuerzas ni siquiera para moverme de la cama, en la que me hundí nuevamente.

¿Cómo pudo engañarme así Fidel Raúl? ¿Cómo pude caer en su trampa? Me tomé un calmante y caí rendida.

Al día siguiente llamé a la AGESSA; finalmente, luego de escuchar múltiples mensajes grabados, en el estilo de «toque la tecla uno para tal y más cual cosa; toque la tecla dos...», por fin, un ser humano se digna atenderme. Necesitaba que me explicara la razón del aumento de mi cotización trimestral. El hombre me lo explicó con un lenguaje burocrático incomprensible. Interrumpí para preguntarle de qué servía que yo pagara tanto dinero, ya que siempre que iba al médico me reembolsaban una mierda. De nuevo el hombre me habló con un lenguaje primario, parecido al que utilizan ciertas niñeras con los niños pequeños. De súbito presentí que hablaba otra vez con un robot. Y al final agregó que, de todos modos, sería reembolsada ciento por ciento, por supuesto, cuando padezca una enfermedad importante, de peso.

—Señor, felizmente, no tengo ninguna enfermedad grave —me oí casi gritarle—. Trabajo para vivir, no para morir. Explíqueme claramente para qué sirve que yo pague tales cantidades de dinero.

—Sirve para que esté asegurada, yo, usted, los otros...

Ah, ya, el maldito e insoportable igualitarismo donde quiera. Yo no me sentía para nada asegurada cuando mi dinero se me iba de las manos, así, cada trimestre.

Y, además, soy escritora, profesión liberal, no gano las mismas sumas de derechos de autor siempre, no tengo una entrada fija. ¿Me entendería finalmente?

—Eh, bien, si usted no comprende, y si no le gusta este sistema, sabe que puede irse cuando quiera de este país.

¡El colmo!

Recogí vela, intenté sonar calmada:

—Atención con lo que acaba de decir, siempre he pagado mis impuestos. Con los impuestos que he pagado en Francia habría podido comprarme dos o tres apartamentos en Miami. Además de que soy francesa, aunque nunca, eh, nunca he pedido una ayuda social al Estado.

La cotorra internacional que duerme en mí se rebeló, me sentí ridícula, de golpe me callé. «Pagaré y se acabó, como todo el mundo. Soy francesa, eso quiere decir aceptar también los insultos, pagar y que lo empalen a uno sin vaselina.»

La diferencia entre el capitalismo y el castrismo es la siguiente: en el capitalismo te cogen el culo, te empalan, y puedes protestar, hacer huelga y todo lo demás, respaldado siempre por los sindicatos... En el castrismo te empalan mientras aplaudes dando loas y bienvenidas a que te desgarren los intestinos. Ah, y los sindicatos son los primeros en joderte.

EL BESO DE LA EXTRANJERA

No era la soledad lo que me angustiaba, mucho menos el excesivo silencio. Durante semanas viví comunicándome con las personas del hotel, aunque mínimamente, la mayor parte de las veces a través del teléfono y, si no, al darnos los buenos días, comentábamos acerca de la meteorología, de la política, brevemente, sólo banalidades.

Luego la cabeza empezaba a darme vueltas, salía a la calle y debía regresar en seguida, mareada.

Necesitaba recuperar mi Wifredo Lam. Eché una copia de la grabación que había hecho Samuel del robo en la cartera y me dirigí a la casa de Rémy Dubois en Montmartre. Fue el primer viaje largo que hice tras estar varios días encerrada. No fue tan difícil, reunir coraje me dio un arranque superior. Toqué a la puerta. Me abrió la Sabandija Cubana vestida de dorado. Divisé el Lam colgado en una de las paredes, al fondo.

—¿Qué haces aquí? —chilló, tembloroso.

—Tengo un video donde puedo demostrar que eres un ladrón. Considérate un hombre afortunado, no lo he llevado a la policía aún, vengo a que me devuelvas mi cuadro...

Se parapetó en la puerta. Le di un empujón y fui directa hasta el cuadro, lo descolgué de la pared y pasé por delante de él a toda velocidad. Intentó arrebatármelo, le di un empellón y corrí escaleras abajo aferrada a mi único tesoro.

En el cuarto del hotel, sustituí el horrendo cuadro de decoración por el Elegguá. Esa noche me dormí contemplándolo.

Con su presencia me hallaba menos sola, pero pasé varias noches en la más austera e implacable soledad.

En una ocasión sentí deseos de hacer el amor, de templar, de singar, tal como decimos llanamente los cubanos. Llamé a un anuncio y me enviaron a un chico guapo, sereno, imperturbable, demasiado para mi gusto; ahí mismo supe que de singar o de templar, nada: haríamos el amor, *tout court*. Mientras estábamos en medio de la templeta más colosal —de mi parte, él imperturbable—, el maître del hotel telefoneó para comunicarme que Fidel Castro había decidido, un año después, dejarle el poder a su hermano. Su hermano, por otro lado, preveía vender telefonía móvil a la población, ollas de presión y computadores... Si hubiera tenido rabo se me habría caído; no es mi caso, por suerte. Y continué hasta el final moviendo las caderas como una chiva tarambana. Terminamos, pagué, y el joven se largó sin decir esta boca es mía. Sin embargo, antes de irse fue amable, me besó en las mejillas, como a una hermana a la que le acaba de hacer un favor.

Lo que me sorprendió fue que siempre las noticias de ese tipo me cogían en pleno coitus: la hemorragia intestinal de Castro, también la sucesión, pues siempre andaba yo con las piernas abiertas, en pleno orgasmo. Pero jamás interrumpí el palo por nada del mundo. Mientras la gente festejaba en Miami, arengaban en las calles con banderas, yo seguía en lo mío.

Del mismo modo, otra mañana, mientras hacía mis ejercicios, el maître volvió a llamarme para anunciarme que «*Madame, c'est la catá*... La Francia ha sido invadida... por una nube de grillos». Uf, respiro hondo. «En cualquier momento —pensé—, los periódicos anunciarán las diez astucias para vencer la invasión de saltamontes.» Como, en efecto, el primero fue *Le Monde.*

Frente a mi computadora, revisé mis e-mails. Uno de Marcela:

Hola, nada nuevo, Hamás bombardea con tiros de *roquettes* a Israel. Israel pronto contestará. Nuestras vidas son muy agitadas: de un lado, Samuel filma; yo fotografío la polvareda. Pronto volveremos a París. No me preguntes si siento miedo. El único miedo que me da es a tomar el avión con toda esa turba de franceses comemierdas, con sus bocas apestosas a quesos, corrigiéndome el acento, al que cada vez me *atacho* más, y regresar a la rutina abominable.

Aguarda por nosotros, corazón. Sigues en el hotel, ¿por qué no te buscas un cuarto de criada?

Esperaba a que mis ahorros aguantasen. Acababan de pagarme el adelanto de la novela. ¿Alcanzaría para vivir?

Otra noche en solitario, otra pesadilla: entro en un hospital, veo a mi madre a los pies de la cama de un enfermo. El enfermo no es otro que la Maruga Rebelde: Fidel Castro.

Pregunto a mi madre qué hace ella allí.

—Estoy curándolo, pobre, mira cómo lo he encontrado, todo lleno de mierda. Se cagó de la cabeza a los pies. Observa, qué desastre, toda la cama meada. Horrendo.

—Mamá, ¿y su familia? ¿Por qué el hospital no los llama a ellos? —pregunto, incrédula.

—No tiene a nadie que se ocupe de él, ni siquiera su familia. Te lo digo, se veía venir, él ha jodido tanto a tanta gente que ahora al mundo entero le da igual la noticia de su culo postizo y de sus diarreas y de su incontinencia.

En efecto, vi a un viejo que daba lástima, piedad, encartonado en excrementos y en orina, inconsciente, el rostro pálido y seco; la boca, por una sola vez en su vida, cerrada, ya no daba esos largos discursos, no hablaba, ni siquiera suspiraba, apenas poseía fuerzas para respirar.

Fui yo quien suspiró, con rabia, de sentirme apenada ante semejante criminal:

—Mamá, ¿estás loca? Estás curando a nuestro peor enemigo.

Ella se encogió de hombros, indiferente. Calmadamente, se aproximó al lecho. Mamá retiró la sábana que lo cubría. Advertí que iba vestido con una especie de camisa plástica transparente con el logo de Adidas, hecha de un nilón decorado con óvalos rojos, verdaderamente ridículo.

—Se va a resfriar, mamá.

—Es de lo que se trata...

—No entiendo.

—No debe morir en seguida, sino sufrir lentamente... —Me miró cómplice.

Se dirigió a la ventana y la abrió. Una ola gélida atravesó la pieza, invadió el recinto.

—Mamá, detente, ¿qué estás inventando ahora?

—Cállate, es mi asunto, es mi *bisne*. Es necesario que atrape una buena neumonía. Suavemente, dulcemente, no debe morir de golpe, lentamente, debe pagar poco a poco.

Mi madre, muerta en el exilio. «Esto es sólo una pesadilla —me dije—; una de las más extrañas que hice en mi vida.» Final de la pesadilla, despierto con espasmos.

Recordé el día en que llevé a mamá a comprar al supermercado. Nunca había visto tanta carne junta, y quiso comprarse un pollo entero para comérselo ella sola. Pero cuando se halló delante del frigorífico de los pollos, no se atrevía a coger ninguna de las aves congeladas y envueltas en nilón transparente. Enjugó una lágrima con el pañuelito bordeado en encaje de Brujas. Acudí a ver qué le sucedía. Empezó a sollozar:

—Es que... es que..., ¡qué pollos tan bonitos, tan gordos, tan grandes! ¡Qué maravilla de pollos, hija mía! Me daría pena meterles una mordida.

Así era ella, imprevisible.

Recibí un sms de un escritor francés: «Por fin, querida, la bruja de Castro, ¿se muere o no?» No le respondí.

Estaba secándome de adentro hacia afuera, como una mata, aburrida en aquel cuarto de hotel. Debía moverme, debía irme de allí... Esperé a que pasara la primavera.

Compré un billete de avión y viajé a Nueva York; mi hermana había sido operada con éxito y decidí visitarla. Al rato de instalarme en casa de mi hermano, decidí salir. Di un paseo por Nueva Jersey, por Hoboken, me fascina Hoboken. Almorcé por allá, bebí un vaso grande de guarapo en el restorán Zafra.

Volvió el negocio del verano, la canícula. Al Gore seguía con su cantaleta de que todos nos achicharraríamos en el infierno. Pero él no apagaba los cientos de lámparas con las que alumbraba sus numerosas habitaciones. Entré en un café web y revisé mis e-mails. Cada vez vivía más sumergida en el silencio.

Marcela me envió un e-mail jocoso:

Le Monde.fr : En France, le climat a favorisé la pullulation des criquets italiens...

No te pierdas ese título de *Le Monde*, como para enmarcarlo, me recuerda a *Granma*. Acabo de despertarme y empiezo a leer el periódico, pienso en ti, con la boca cerrada, por pavor a tragarme un grillo italiano. Por el resto todo va bien, las noticias son buenas, el mundo no ha cambiado ni un pelo. Guerras, dictadores que reposan tranquilamente en islas caribeñas, terroristas, hambre, sida, sequía... ¡Espera! ¡Acabo de atrapar un grillo! Carajo, olvidé de qué estaba hablándote... Bueno, no es grave. Espero que no sufras demasiado en Nueva York. Besos, *habibi*. Tu Marcela árabe.

Te copio y pego el texto de la editorial de *Le Monde*: «*La chaleur et la sécheresse aidant, des agriculteurs des départements de la Nièvre et de la Saône-et-Loire ont eu la mauvaise surprise de découvrir leurs potagers, leurs champs de luzerne ou leurs prairies attaqués par des nuées de criquets. Rien à voir avec ceux qui déciment régulièrement les cultures africaines. Mais il n'en reste pas moins vrai que* Calliptamus italicus, *c'est son nom, s'est mis à table en France, mais avec plus d'appétit qu'à l'habitude.*»

Cerré la pantalla de la computadora portátil y salí a caminar. Regresé al apartamento, debía acudir a una cita con mis hermanos.

Bello sol sobre Nueva Jersey, mis hermanos y yo disfrutamos de la espléndida vista de Nueva York desde la terraza de un piso 47, donde vive el más pequeño de los tres. Somos medio hermanos: ellos son hijos de mi padre con otro matrimonio anterior, del que se divorció para casarse con mi madre, pero a ellos les tuvo después que a mí, cuando la ex mujer prefirió ser la amante de mi padre y parirle, sin tener que soportar las pesadeces y zoqueterías cotidianas. Yo prefiero llamarlos hermanos.

Al rato, bajamos nuevamente, tomamos el carro y fuimos a dar un paseo por el viejo puerto. Y también por Manhattan. Atravesamos Wall Street, adoro la panoplia de rascacielos art-déco.

Amo a los americanos y ellos me quieren, lo sé. Cantamos la misma canción.

Entramos en la expo «Bodies», al pie de South Street Seaport.

«Bodies», cuerpos muertos, disecados, que simulan movimientos cotidianos, la mayoría absurdos. Y es que todo lo cotidiano es sumamente grotesco. El cuerpo y todo su misterio. El cuerpo más desnudo que nunca. Puro pellejo, huesos, corazón, sangre, arterias, venas, sexo, tumores, enfermedades..., la vida, la muerte. La extraña sensación de poseer un cuerpo, o nada, esta especie de bolsa sórdida que nos contiene.

Tres muchachas dominicanas se reían mientras señalaban casquivanas las pingas de los muertos. Yo también me reí. Me relamí. «Prueba —me decía una amiga en la secundaria, no miento—, fíjate que, frente a una golosina o frente a un pene, las mujeres inevitablemente se relamen, sin querer, sin proponérselo, por inercia, por automatismo, ¡qué sé yo!»

Exposición de cadáveres más vivos que nunca. Un visitante aseveraba que se trataba, mientras estuvieron vivos, de presos políticos chinos.

Huí de allí turulata. Comimos algo en un *mall* del viejo puerto. Regresamos.

En la casa revisé mis e-mails: mis antiguos vecinos me daban noticias de ellos. Reciproqué sin especificar demasiado en qué estado anímico me encontraba, respondí con pocas frases, que no transparentaran mi melancolía. Marcela insistía en su conversión al islamismo, pero sin practicarlo, era más capricho musical que verdadero interés espiritual.

Los días transcurrieron, soberanamente abúlicos. No puedo percibir cuánto tiempo pasó entre una guerra y otra, entre un viaje y otro. Marcela volvió a escribirme:

El otro *day* me di cuenta de que quisiera transformarme en otra cosa, en algo inusual, en una especie de mí misma, pero distinta. No sabría explicarlo, ¿estaré enloqueciendo?

Acabo de terminar de ver el telediario, últimas noticias: invasión de medusas sobre el litoral mediterráneo. Ya nos dieron todas las consignas, astucias, *quoi*... Los bomberos dieron su opinión, y los franceses sacaron de los armarios los jamos y se ocupan ahora de atrapar de *belles* medusas... Para pasar el tiempo, cosa de no aburrirse.

Hay que ver lo huevones que son, no tienen ningún inconveniente en declarar que anhelan pasar el tiempo... Además, los maravillosos bomberos, tan bellos, tan sexis, tan necesarios, se dedican a pegarles curitas en los pies a los bañistas, qué desperdicio. Mientras que los campos de damnificados en el mundo entero, por mil razones diferentes, se repletan de inocentes. No, yo te digo que Samuel y yo nos hemos partido de la risa viendo las informaciones. Nuestro regreso no ha sido fácil. Adaptarnos a vivir en paz ha tenido sus complejidades.

Este mediodía iré a una manifestación que convoca Amnistía Internacional con el objetivo de pedir un cese al fuego de ambos bandos. Desde que regresamos del Líbano, no hacemos más que andar de manifestación en manifestación. Ahora, con la guerra —sí, hay guerra, aunque muchos no se hayan enterado— entre Palestina e Israel, no cesamos de pensar en las víctimas, de solidarizarnos con los desgraciados. A la manifestación a la que asistiremos, que no debe ser politizada, se han invitado a los dos bandos, deberán respetarse, evitaremos la violencia. Veremos si da resultado, daré una vuelta a ver. El problema no son los israelíes, el problema son los de Hamás, una parte de ellos, que insisten en el terrorismo, y se aprovechan de los palestinos y los matan. Se asesinan cruelmente entre ellos, como fue el caso del niño Mohammed al-Dura, que mataron los propios palestinos. Un camarógrafo palestino vendió esa imagen a la televisión francesa y ésta dio la vuelta al mundo, la imagen que alentó el terrorismo. ¿En qué mundo vivimos? «En fin... el mar», como ya escribió Nicolás Guillén.

Te envío un beso grande, mi *habibi*. Besos a tus hermanos. Si ves a Bush, dale una patada en los testículos; si ves a Obama, dale un beso en la boca de mi parte. Tienes razón, conságrate a tus vacaciones. Nosotros ya nos liberamos de aquel infierno, pero ignorábamos que otros infiernos nos esperaban. Te quiero mucho. Marcela, que sueña con un mundo mejor, más justo.

Esos mensajes me daban y me dan un hambre tremenda, no puedo evitarlo. Tomé la guagüita del bulevar East hasta la terminal de la 42, caminé hacia Times Square. Entré en el Hard Rock Café. Acomodada en una de las sillas, contemplé los trofeos roqueros colgados de las paredes. La camarera demoraba, me sentía dispuesta a devorar una hamburguesa gigante; mi vista tropezó con la guitarra de George Harrison y la batería de Ringo, expuesta como tantos otros tesoros en las vitrinas interiores del café. Mi mente viajó al pasado a una velocidad insuperable. Pienso en todo aquel tiempo en que en Cuba nos prohibieron oír la música de los Beatles, además de toda aquella que llevara la marca del capitalismo. El rock era para los castristas el símbolo de la droga, de la corrupción, de la contrarrevolución; el símbolo del mal absoluto.

Me atreví a llamar a una amiga. Nora Mirabal me acompañó un rato, volvimos a hablar de Castro. Años después todavía seguimos revolviendo el mismo tema, el de Cuba, el del futuro de ese pobre país de mierda. Al rato nos vamos al Víctor's Café para saborear un buen café cubano. Nos atendió un camarero muy gentil, cubano también; por la noche era actor en una compañía de teatro. Nos regaló los cafés.

Me compré camisetas con la imagen de Marilyn y de «I love New York». La cara del siniestro *aChesino* me vigilaba desde otras camisetas. Por primera vez me sentí libre e inocente bajo la luna llena; esa luna libre e inocente, en forma de manzana acaramelada.

Dos gatos gordos, apuesto que descendientes directos del gato de Cheshire, me observaban desde el último piso y desde la inmensidad del Empire State.

Al día siguiente me levanté tarde, casi a la hora del almuerzo. Me fui a un restaurante de Little Italy; el cocinero era dominicano, al igual que el patrón. Saqué mi cámara de video. Me advirtieron que para filmar la calle central del barrio había que pedir la autorización de

Chacha, el jefe de la mafia italiana neoyorquina. ¿Será italiano, o también dominicano?

Crucé a Chinatown, presentía que todos eran como mis primos lejanos. Los chinos venden copias de grandes marcas por todos lados. Una joven china proponía relojes; en un deficiente español, voceaba:

—¡Bueno, barato! ¡Bueno, barato! —en una letanía desalmada.

Al referirse a lo «bueno», quería decir los relojes falsos pero bien hechos, con una cierta calidad; lo «barato» significaba las copias de mala calidad.

—Eso es basura —murmuré en español.

La chiquilla cambió sus palabras, más rápida que un relámpago:

—¡Bueno, basura! ¡Bueno, basura!

Estos chinos aprenden a toda velocidad las sutilidades de un sinfín de lenguas.

En Nolita, el barrio junto a SoHo, abrieron un sitio exquisito, Rice to Riches, donde se podían saborear toda suerte de arroces con leche; algunas de las variantes: arroz con leche al tiramisú, arroz con leche a la vainilla, arroz con leche al mango. En cubano es sinónimo de arroz con mango, o sea, de enredo.

En un sagrado arroz con mango viven los cubanos hoy, sin nadie en el poder como no sea ese otro loco del hermanazo. ¿La Maruga Guerrillera estará muerta o no? Siempre que paladeo platos deliciosos me lo echan a perder estos dos hijos de Lina. Hijos de Lina=hijoeputas, según Lydia Cabrera.

Apposté a que no se había muerto. «Ojalá pierda la apuesta», murmuré.

Retorné a la casa de mi hermano, revisé los e-mails.

Al Nihilista lo habían condenado, sin juicio, a fusilamiento. Me derrumbé en el sofá, doblada de dolor. Mi hermano me extendió el teléfono. Llamé a Cuba.

—No, esa noticia es de hará cinco horas; hace apenas diez minutos que nos comunicaron otra cosa: cambiaron la decisión, desconocemos por qué, prefirieron conmutar la pena. Suponemos que porque un abogado se atrevió a defenderlo, será ésa la causa. Un abogado independiente, ¿sabe? No son muchos aquí los abogados independientes con coraje —la voz de la hermana sonaba temerosa—; creemos que saldrá con una condena de treinta años, y eso en el mejor de los casos.

Así fue. Dos días más tarde, la hermana del Nihilista me confirmó la sentencia. Respiré, respiré, por mí y por él; estábamos vivos.

Colgué y telefoneé a la Gusana. Ella se deshizo en excusas, no había podido ir al entierro de mi madre, ni a mi boda, tampoco podría viajar a Nueva York para verme. La desaparición del Lince en Colombia la había hundido en la ira primero, después en una absurda depresión; ¿cómo podía traicionarla de esa manera?

—Nada me extraña, que haya desaparecido sin dejar rastro forma parte del guión, de la estructura dramática. Castro hizo de todos nosotros unos inescrupulosos traidores —respondí de modo automático.

La Gusana estaba montando una galería de arte. Le prometí que regresaría a Miami sólo para verla, pero que ella debería prometerme a su vez que no diría nada a nadie de mi presencia en esa ciudad, que ninguno de nuestros amigos comunes debería saber nada de mi visita. Colgué con ella y compré el billete por Internet.

Dos días más tarde me encontraba nuevamente en

Miami. Al salir del aeropuerto, un vaho caliente empapó mis mejillas, y mi cuello se llenó de un sudor gelatinoso.

La Gusana me esperaba dentro de un *jeep*. Siempre le gustaron los *jeeps*, me imagino que por aquel libro que releíamos al borde de la playa, en Santa María: *The short happy life of Francis Macomber*, de Ernest Hemingway, editado por Huracán.

Dejamos las maletas en su casa. Bajamos a almorzar en un restaurante en la calle Ocho, El Exquisito. La sopa de pollo revivía a un muerto. Empecé a sudar. Estudié el rostro de mi amiga. La Gusana estaba igualita, físicamente no había cambiado nada; con ella, la conversación versaba invariablemente sobre lecturas, las antiguas, las novedosas, y los recientes descubrimientos. Hicimos planes para ir a librerías, también para ir a la playa. A ella le gusta bañarse desnuda en playas desiertas. Pernoctar en tiendas de campaña, bañada por la luz de la luna, echar una tarraya, pescar y freír pescaditos con leña a la orilla del mar. Yo no aprecio esos arranques pedestres de amor por la naturaleza. Me he vuelto muy cómoda, prefiero un confortable hotel, si es posible situado a dos pasos del mar, para en seguida que salga del agua poder guarecerme del sol y de los mosquitos.

Caminamos por la calle Ocho, bajo un sol que achicharraba. Empecé a oír un barullo cubano, una especie de vocerío que logró aterrarme. Todo estaba dentro de mi cabeza, me convenció mi amiga. Nos montamos en el vehículo y le pedí ir a ver el mar. Lo único que realmente me libera de todo es contemplar el mar. Vacilo antes de hundir mis pies en el agua, el origen de mi miedo está en el viajecito de balsera que me tuve que meter; aunque

que mi vista se pierda en el horizonte marítimo es lo que más anhelo en mis noches parisinas, le comenté. Ella sonrió dulcemente, comprobé que su rostro se había vuelto más suave.

Una de las cosas que más me gusta es ir junto a la Gusana, contarle chistes mientras ella conduce y se destoleta de la risa. Arribamos al mar. Al introducir mis pies en el agua comprobé que era un potaje, hirviente, espeso, y huí dando salticos. Nos quedamos alrededor de dos horas, nadamos en silencio, sumergidas en los recuerdos, jugueteando con las algas. Regresamos, sedientas. Ella parqueó a un costado de la Ocho. Me acomodé en un café, instalé mi computadora, me conecté al Wi-Fi mientras la Gusana se ausentaba: me pidió excusas pero necesitaba adelantar algunas cosas en la galería. Yo no tenía ni pizca de sueño, nada de cansancio. Abrí mi buzón electrónico.

Una estúpida me enviaba su libro en fichero adjunto. Un libro de esos escritos por mujeres que no crecen. Intenté leer las primeras páginas, qué mierda, Dios santo. La *pétasse* (petarda, comepinga, más o menos, es la traducción del francés) me inundaba de e-mails lameculos, decía que leyó mi libro, que le había influenciado. Ahora, a los plagios los llaman influencia. Qué mujercita tan persistente, qué mortalmente aburrida, me daba igual todo lo que me contaba de su madre escritora y del copón divino, pero persistía, como en la canción: «Persistiré, aunque el mundo me niegue toda la razón...» Y más e-mails. En los demás me piropeaba; empecé a dudar de su sexualidad: «Seguro será un poco lesbiana y ella misma aún no se ha enterado. Tal vez, si le doy un poco de cordel, es capaz de salir del armario.» Nada peor que una lesbiana tardía. Todavía se consideraba una escritora joven, por favor, pero si casi tiene cuarenta años. Me mandó fotos en el Malecón habanero, porque vivía en La Habana. Fotos en posiciones falsamente seductoras.

Le escribí un e-mail, extenso; no sé por qué, le respondí de esta manera:

NUNCA FUI PRIMERA ESCRITORA

Nunca fui primera escritora. Antes de mí estuvieron los grandes, los que me influenciaron, a los que agradezco horas de lecturas. Mi madre nada tenía que ver con la literatura; en contra de su voluntad, leí cientos, miles de libros. Nunca tuve, por suerte, una madre escritora que me indicara el camino correcto, y mucho menos que me despreciara por bruta. Mi madre creía que yo era la más inteligente sólo porque me amaba, aun cuando no veía bien que me dedicara a escribir. «¿Y eso, para qué sirve?», preguntaba.

A los diecisiete años escribí mi primer libro, con el título tan pretencioso de *Respuestas para vivir*, poemario del que estoy sumamente orgullosa porque fue una experiencia de adolescencia clara, transparente, y creí en todos los poemas que escribí. Mientras algunos se dedicaban a fusilar inocentes, yo escribía tonterías tales como que creía en la utopía de un comunismo poético, dedicaba versos a una revolucionaria suicida, a un poeta salvadoreño ejecutado, a las manos del periodista Rolando Escobedo, al que yo llamaba guerrillero porque dormía debajo de la escalera de un solar distinto, encima de una balsa que inflaba cada noche, ya que no tenía casa; hoy es disidente en Cuba. En ese libro había, además, poemas dedicados a Paul Éluard, a Nush, a Gala, al hombre del paraguas negro, a Picasso, a Mishima, a mi infancia, a mi barrio; el libro existe, ahí está. He colgado su cubierta en mi blog mil veces, he hablado de él en *El Cultural* de *El Mundo*, que también adjunté en mi blog. No me arrepiento más que de ese título, tan juvenilmente presuntuoso.

Mientras tanto me enamoré de aquel hombre del paraguas negro, que devino escritor famoso en la isla, al que tronaron, y aun así tuvo la buena estrella de ser enviado a París. Era mi marido, y con él viajé, y luego nos separamos, y me volví a casar, con un historiador de cine, un hombre bello, encantador, revolucionario. Ya en la época nos fajábamos por esas mierdas de la política, murió en un accidente de avión. En la misma época en que algunos secuestraban millonarios en Italia y cometían actos terroristas, yo andaba de zarrapastrosa por París, visitando museos, posando desnuda para un fotógrafo. Pero todo eso lo cuento en mis libros, lo contaré siempre, porque no tengo nada que esconder. A estas alturas, y con la cantidad de novelas que llevo escritas, ¿qué voy a necesitar esconder?

Por la misma época leía como una desaforada, acuclillada en las librerías; era una manía que traía desde Cuba. O me quedaba días enteros en las ramas de la librería Shakespeare and Company, la librería de Sylvia Beach. Publiqué un artículo en la revista *Bohemia* que titulé «Primer viaje», sobre esa librería, su librero, y sobre mi encuentro con el escritor irlandés Samuel Beckett. Muchos escritores que hoy se encuentran en el exilio y que entonces estaban en Cuba me criticaron arduamente. Regresé a Cuba, como he dicho tantas veces, porque creía que había que cambiar las cosas desde dentro, harta de codearme, afuera, con una izquierda tan ignorante en relación a Cuba. Era otra época, lo repito.

Volví con libros que presté a amigos. Uno de ellos, pintor, me visitó, acompañado con una novia, una muchacha que no tenía nada claro lo que quería hacer de su vida: si actriz, si pintora (imitaba a Zaida del Río), si poeta, tal vez guionista. Lo que sí estaba claro era que padecía de mitomanía crónica. Le hablé de Anaïs Nin, de sus diarios... Los ojos le relampaguearon de envidia.

Durante años me persiguió. Uno de sus personajes televisivos —por fin logró ser actriz— llegó a llamarse Yocandra, como yo. Continuó acosándome con e-mails, incluso una vez yo en el exilio. Era su escritora favorita, me amaba, me adoraba. Con su marido músico me enviaba cartas lloronas desde La Habana, y yo, de comemierda, le mandé mis libros y proyectos de ellos dedicados.

Se hizo francesa gracias al marido. Visitó París, me tocó en la puerta de la casa un domingo de invierno, salimos a un café. Lloró porque su madre se había muerto. Cuando le conté que la mía también, aquí, en París, en el exilio, ni me escuchó. La llevé al Museo Victor Hugo. Me habló de que estaba escribiendo una novela sobre Anaïs Nin. Me alegré. Un día me envió desde México su primera novela. La leí, la guardé. Había necesitado tejerse una mentira alrededor de mi persona para poder escribir una historia. Juan Rulfo decía que la literatura era casi toda mentira, cosa que probablemente ella no sepa todavía. Guardé el libro y pensé en esa célebre película, *Eva al desnudo*, o *All about Eve*, con Bette Davis como protagonista. Y me cerré al personaje.

Pero el personaje necesita siempre de mí para existir, y en una entrevista dijo que de mí sólo le gustaba mi poesía. O sea, a la amante de mis novelas, de pronto, en aquel momento, ya sólo yo le interesaba como poeta. Me cerré entera.

Nada de esto tiene importancia, porque si de verdad se atreviera a decir la verdad, nada de ella la tendría tampoco.

Nunca fui primera escritora, ella tampoco. Pero al menos yo jamás necesité de nadie para existir, ni siquiera imité la vida de nadie, y cuando me inspiré en escritores queridos lo he reconocido. Viajé antes de exiliarme definitivamente, regresé a Cuba, pero jamás, jamás, trabajé para la policía política, ni denuncié a nadie, ni hablé mariqueras tratando de salvar lo «bueno de la revolución»; jamás públicamente agredí a ningún escritor exiliado, aun cuando me pusieron el micrófono de los mejores canales de televisión del mundo para hacerlo. Y cuando me largué, durante años, aguanté las socarronerías y ataques de muchos escritores de la isla, a los que yo misma les abrí las puertas de la edición en el extranjero. Ignorar eso es infamia pura, y ellos lo hicieron, lo siguen haciendo.

Mi carrera literaria ha ido a contracorriente siempre, y me lo he ganado con esfuerzo, con trabajo, y no en un abrir y cerrar de «bollo» (que pudiera ser el panecillo español, sin la connotación sexual que tiene esa palabra para los aquellos isleños).

Pero lo más importante, repito, nunca fui primera escritora, antes hubo otras y otros, a los que quiero y admiro, y luego después ha habido otros y otras, a los que amo y apoyo. Mi madre nunca quiso que me dedicara a esto, pero me trataba como a una hija, y no como a una borrica a la que había que encuerar para que los hombres se quedaran a su lado. Será por eso que tampoco heredé sus manuscritos, ella nunca escribió como no fueran cartas de amor. No heredé manuscritos, tampoco me los apropié, mucho menos borré su firma para plasmar la mía en su lugar.

No sé por qué te respondo así, tal vez por intuición literaria. Te regalo este cuento, duérmete con él. La vida es sólo un día detrás del otro.

La Gusana regresó, visiblemente cansada, había pintado una pared de la galería. Me preguntó sobre lo que estaba escribiendo. Nada, respondí, boberías, basuras dirigidas a una tipa mierdera.

Y cambié la conversación, empecé a contarle del viaje: cada vez los aviones me resultan más raros, más poco fiables. Antes de tomar el avión, me di cuenta de que algo extraño pasaba en el aeropuerto de Newark, pero nadie nos informó de nada. Nos entregaron una fotocopia donde nos explicaron bastante escuetamente que debíamos botar en la basura todo lo que contuviera líquidos, gel y sprays. Llevaba productos bastante caros. El tipo que me revisó la maleta de mano me quitó mi spray de Avène con el que me refresco el rostro, y mis servilletas de Preparation H para limpiarme el culo. El muchacho me preguntó que para qué servían.

—Para limpiar culos —contesté indignada en francés, porque habitualmente hablo en francés.

Me miró con mal talante. No comprendió el francés. La mayoría de los americanos no hablan más que el inglés.

Hice gesto de limpiarme el culo. No entendía y además no le gustó mi ademán, y de todas maneras me confiscó el paquete de servilletas húmedas.

Por fin me dejaron entrar en el avión. Más de dos horas quedamos atrapados en el aparato a la espera del despegue. Un teléfono timbró. Un tipo detrás de mí respondió en el lenguaje de Aquella Isla, hablaba tan alto que consiguió informarnos de todo lo que ocurría como si se tratara de un altoparlante de los que usan los sobrecargos.

Parece que, en alguna parte en Europa —Londres, tal vez—, varios terroristas, una treintena de ellos, intentaron explotar varios aviones con una especie de gel. De ahí el terror general.

Aunque ellos, los policías, consiguieron atrapar a los paquistaníes, o egipcios (al aquelisleño le costaba trabajo escuchar a la persona que lo había llamado), nacionalizados ingleses, encargados de hacernos explotar, nuestro avión estaba en la lista, porque Continental entraba en su proyecto pirotécnico, y nosotros, encerrados después de dos horas en una de las compañías concernidas.

En la silla de atrás, junto a este cubano que hablaba altísimo, había otro, elegante. Se expresaba en un inglés perfecto pero, sin embargo, cuando debía contestarle en español al vecino de asiento, su pronunciación era fatal, barriobajera; yo hubiera afirmado que aprendió a hablar en Los Sitios. Demasiado incorrecto, puro argot. Sin embargo, iba, como dije antes, muy bien vestido, con excelente gusto: traje Armani, corbata Yves Saint-Laurent, sombrero Panamá, la gran clase. «Seguro que es gay —pensé, y aposté a que hablaba perfectamente el francés, tan bien como el inglés—. Al menos, ése ha sido el sueño de toda su vida, hablar francés fluidamente. Casi todos los gays cubanos sueñan con hablar y escribir en francés. *Ah, que oui!* Pierre Lotti no sólo influenció con sus libros a las putas del barrio de Colón; también los pájaros cogieron su ramalazo.» Sentí contradecir con el pensamiento a Alejo Carpentier.

«Con anterioridad, la mayoría de los cubanos que yo me encontraba eran machos —le comenté a mi amiga—. En la actualidad, todos los que me encuentro son gays, o casi.» Para la Gusana resultó ser la peor de las noticias. «Tengo un envidioso ahí que me persigue a todas partes

—le comenté—, que es muy gay. Aunque intenta dejarse el bigotico, es una mezcla de Freddie Mercury con Libérace. ¡Qué manera de extrañar a Freddie Mercury!» La Gusana nunca entendió mi pasión por Freddie Mercury.

«¡Necesito un beso de un macho cubano en seguida!», voceé. La Gusana me miró como si yo estuviera loca. En fin, tanto peor.

En el avión, las nubes me hicieron reflexionar. Ésa era la prueba de que estaba convirtiéndome en francesa. «Muy francesa», subrayó la Gusana.

Las nubes me obligaron a escribir, cosa de hacer pasar el tiempo, una prueba más de mi adopción. Y yo que detesté siempre hacer cualquier mierda con tal de pasar el tiempo. Antes, cuando iba a la playa, y me bañaba, al menos tenía la impresión de hacer algo útil y saludable para el cuerpo.

Finalmente, el avión despegó cuatro horas más tarde, pero al menos estábamos a salvo. Al poco rato, dentro del avión, empecé a pensar en las pequeñas miserias que hace también la vida. Y además me dije que, cuando hay que vivir momentos de angustias como ésos, aplaudo todos los bombardeos contra los terroristas. Pero claro, subrayo, que mejor sería que las bombas cayeran verdaderamente en las cabezas de los terroristas, y no de los inocentes.

Hablando de inocentes... La Gusana volvió a mirarme como si tuviera delante de sí a una demente. Vi un documental donde una palestina decía que ella poseía un vientre bastante prodigioso para parir niños que pudiesen devenir potencialmente kamikazes. Como me he vuelto bastante europea, o sea, francesa, o sea, muy cartesiana y suficientemente egoísta, y como no poseo como esa mujer un vientre que produzca terroristas, pensé que si un día tuviera un hijo y que mi único hijo tuviera la desgracia de morir en un ataque terrorista, no sé lo que haría, creo que me volvería loca... Nada tendría sentido de ser vivido, tendría la responsabilidad, en tanto que madre, mujer y escritora, de condenar alto y fuerte a esa irresponsable palestina que no representa para mí ningún sacrificio a ninguna causa justa. Tengo la responsabilidad de condenarla, aun cuando no haya parido aún. No sólo mentía, era además, ante mis ojos, una asesina. Un monstruo. Pero ya lo sé, en la democracia también debemos asumir a los monstruos de este tipo. Aquí, en democracia, ella puede reafirmar su existencia sólo para parir monstruos a su imagen y semejanza. Es la tragedia de la humanidad de hoy, la monstruosidad vende, en la televisión y en todas partes. Proponga usted al canal Arte una serie sobre pintores cubanos y a nadie le interesará; sin embargo, proponga un documental sobre una palestina que pare futuros terroristas y la gente se babeará con el tema. El horror asegura buena audiencia.

—Ni me hables, que aquí en Miami la televisión es peor que en ninguna otra parte del mundo —comentó la Gusana.

»Dos guerras, un dictador moribundo —continúo—, o ya congelado, que quizá estiró la pata desde hace mucho, pero que mucho tiempo y, aun así, quién sabe cuándo tendremos la confirmación... Añádele todos esos espantos que promueve el mundo democrático a los ataques terroristas como amenazas cotidianas. Como si la humanidad sólo tuviera necesidad del esperpento.

Aquella noche la Gusana, Helen, una amiga transexual, y yo nos fuimos para un cabaret de transexuales. En medio de la calle se ponchó el *jeep* de la Gusana. Yo me puse a caminar en lo que ellas dos cambiaban la rueda, me intrinqué en unos matorrales para agacharme a echar una meadita. Había ingerido varios Sanax y unos cuantos buches de ron, pero estaba clara, o al menos así lo creía. Mientras aliviada soltaba mi chorro de orine, una sombra se interpuso entre la luna y yo.

José Martí se me apareció, primero recitó el poema mariquita titulado *Alfredo*, larguísimo; después, el dedicado al árabe, que termina «¡Haschisch de mi dolor, ven a mi boca!». Me subí el blúmer. Los poemas son tan largos que estuve a punto de mandar *p'a la pinga* a Martí, con lo que yo lo quiero y todo, que es mi apóstol preferido, y me encanta su poesía amorosa. Pero Martí no se callaba, y yo ansiosa por preguntarle algo, pero no me dejaba poner una. Hasta que, de súbito, se tiró en el piso, a lloriquear, y yo con él, y confesó con una voz quebrada por los lamentos de Guillermo Portabales, casi los mismos:

—¡Qué harto estoy de ser José Martí, pero qué harto estoy, hasta los mismísimos cojones, qué quieres que te diga! ¡Qué cansado que me estén cogiendo para el trajín lo mismo allá y acá! La próxima vez que reencarne voy a fastidiar a todo el mundo, y regresaré como una transexual bien afocante.

Lo abracé, porque José Martí siempre, no sé cómo se las arregla, pero siempre me sorprende. Me aseguró que en Cuba había medio reencarnado en una Dama de Blanco llamada Reina Luisa Tamayo Danger y, a veces, de jodedor, su espíritu montaba en un roquero malhablado de nombre Gorki.

Y de verdad, fue muy bonito, tenerlo entre mis brazos, acunarlo, besarlo en los labios, por última vez. Martí olía a canario, al «canario amarillo que tiene el ojo tan negro».

Llegamos a ¡Azúcar!, así se llamaba el cabaret, y al rato empezó el *chou.* Fueron apareciendo las muchachitas, poco a poco, cada una desempeñando un personaje de diva. Hasta que apareció la gran Mary Trini, envuelta en una boa, con una peluca rosada. Desapareció detrás del cortinaje brocado, y reapareció; imitaba esta vez a Yma Sumac, pasó rozándome la pierna, regresó a donde yo estaba y, agachada, musitó en mi oído:

—«Eva, callada, deshoja una violeta en el té...» —Y me di cuenta excitadísima de que poseía en ese instante la voz del Maestro, que José Martí había montado en Mary Trini.

Fue una noche esplendorosa. Nos acostamos tardísimo. Al día siguiente, volvimos a la playa. Nos intercambiamos libros la Gusana y yo. Helen no quiso acompañarnos, las transexuales no cogen ese solazo. Deberíamos aprender de ellos. El mar estaba verde esmeralda. Nos enjuagamos en unas duchas improvisadas en la arena. Nos dirigimos a un restaurante peruano. Almorzamos ceviche con camarones, tostones. Delicioso.

La arena había entrado en mi cuerpo, en todos los orificios. El sol había bañado mi piel y paralizado mis sentidos; me sentía rara, como si hubiera recuperado la memoria de un recuerdo muy lejano. Soy una mujer del sol, ahora me acuerdo de que siempre fui una muchacha soleada por dentro. Alegre, revoltosa, y me he vuelto una mujer invernal, triste. Y, sin embargo, soy una mujer a la que el sol asienta.

La Gusana me complacía en todo. Ese mediodía merendamos pastelitos de guayaba, croqueticas de pollo. Ay, el paladar de Aquella Isla, destruido por el castrismo, otro crimen que añadir a la larga lista. A la dulcería llegó un muchacho vestido con un pulóver con la cara de Fulgencio Batista en el frente. «Mejor que haberse vestido con la del Che», pensé. El primero no se puede comparar ni remotamente al segundo: el primero fue un presidente elegido democráticamente en dos ocasiones; el segundo es el argentino que más cubanos ha asesinado en este mundo.

Llevaba una semana en Miami, mimada por la Gusana. Soportaba mal el calor, pero era agradable sentir que el sol alimentaba de una fuerza interior mi cuerpo. Desde París me llamó el maître del hotel de la Reine para informarme de que en la Ciudad de la Luz nevaba, en pleno mes de agosto. Soporto mal el frío, pero también el calor; supongo que el mejor país adonde ir es al que he inventado en mi cabeza.

Me tomé toda la tarde en responder e-mails. Escribí a Marcela:

Mi querida *copinette*:

Estoy en Miami, rodeada de mis queridos gusanos, soy una más y me siento muy orgullosa de serlo. Te extraño, extraño a la gente de la rue Beautreillis.

¿Todavía sigue París invadido por grillos italianos? Menos mal porque, como bien sabes, en otras partes del mundo los grillos son aparatosos y metálicos y disparan contra los inocentes.

Los telediarios comentan que en Cuba se advierte una calma chicha, una tranquilidad que mete miedo. La gente en la calle se mira y bajan los ojos, no hay nada que argumentar, sobre todo prohibido hablar ni explicar nada. Un periodista que regresó de allá nos contaba el otro día que lo más sorprendente es la densidad del silencio, el espesor del miedo. Aquí los periódicos informan de que hay que esperar lo peor, noticias adversas, o sea, nada nuevo. Hace cincuenta años que escuchamos y esperamos adversidades.

En fin, veremos, como decía Carlos Manuel de Céspedes en su *Diario de campaña*, el último, antes de caer derrotado en manos de los españoles.

Te quiero, *ta copinette,*

YOQUI DE LA CANICULE

Finalmente apagué la *laptop*. En la televisión pasaban imágenes de hacía algún tiempo: Fidel Castro vestido deportivamente con la marca Adidas (Asociación De Idiotas Devenidos Asesinos Sicópatas) de color rojo tomate, sumamente debilitado. Parecía un muerto viviente, acompañado del alcohólico del hermanazo y del ultramegacomemierda de Hugo Chávez, quien, haciendo monerías, brincoteaba a su lado. Hay que llenarse de prudencia y de paciencia para oírlos hablar tanta mierda concentrada. El Mico Mandante se babea con los hermanos criminales. Un momento espectacular fue cuando el venezolano le regaló un puñal a la Matraca Agónica. Agregó que el puñal perteneció a Simón Bolívar, cualquiera diría un consolador de lujo del siglo XIX, un tolete como monumento histórico. Cualquiera diría tres maricones *falta-e'-cabillas*, y drogados, para colmo. Nadie podría pensar, viéndolos, en tres jefes de Estado.

Leí un poco antes de dormirme. Soñé con París. Soñé que el Nihilista aguardaba por mí en París. Extrañaba París. En Miami comencé un diario en francés. Sí, no sé por qué escribía en francés, en un cuaderno con tapas de cuero comprado en Barnes and Noble.

Nos despertamos tarde; dormir es mi más grande fuente de alivio. Desde que me fui de Cuba duermo profundamente, aunque muy poco. La Gusana me invitó a Islas Moradas. «Detesto las islas», musité. «Esto es diferente», quiso explicarme, pero le retuve las manos, que ya empezaban a gesticular en el aire. Confiaba en ella absolutamente, iríamos a esas islas, le confirmé para que cesara de manotear.

Hicimos el viaje en silencio. Junto a nosotras pasaban a toda velocidad limusinas de lujo.

—Aquí no es políticamente correcto mencionar a los pobres —me dijo ella.

«Cuando yo era pobre no sabía que lo era», pensé. En los años setenta, en Cuba, la pobreza era considerada como muy *chic*. Yo era realmente pobre, de esos que usaban mondadientes para fingir que habían comido, que diría el gran Luis Carbonell, *el Acuarelista de la Poesía Antillana*. En la actualidad, en Cuba, hay que ser rico para sentirse aceptado. Algunas estrellas de Hollywood se van a Cuba a jugar a ser pobres delante de uno de los dictadores más ricos del planeta, que ha fingido toda su vida ser pobre. Y lo único que ha sabido hacer es extender la mano y mendigar ayudas: a los soviéticos, a los europeos, al mundo entero. Hasta los Estados Unidos lo han ayudado, y todavía se atreve a denunciar el embargo, ¿qué embargo? A los comunistas franceses les encanta también viajar a la isla para sentirse seguros. Qué alivio cuando ven en los cubanos a gente más pobre que ellos, aunque muchos de esos comunistas no son nada pobres, son más bien ricos. Los alivia ver gente que están más hundidos en la precariedad —ideológica, claro— que ellos.

Llegamos a Islas Moradas, la playa allí es de una belleza sensacional. «Las langostas son del tamaño de un puerco», exageró la Gusana mientras descorchaba una botella de champán Grande Dame y me brindaba tostones fritos. Sí, adoro beber champán con plátano frito, lo siento, nadie es perfecto. Ya sé que es una herejía mezclar el champán con un vulgar tostón, pero mi parte cubana se impone inevitablemente a la europea.

La Gusana me mostró las casitas al borde de la playa, diminutas, pintadas de diversos colores, alegres todas. «Ahí escribirías tú una gran novela», me dijo. «Bueno —reflexioné en voz baja sin ninguna humildad—, yo escribí ya una en medio de la pobreza más espantosa, en un cuarto el doble de pequeño que ése, en la nada cotidiana más desesperante que se pueda imaginar.» «Lo sé», respondió, y echó a andar.

Cenamos en un elegante restaurante francés, al borde del océano. El camarero se llamaba Paul. Me acordé de mamá y de Paul Mihanovich, eché un chorrito de champán en el suelo: «*Maferefun* mis muertos», musité. La jornada había sido entretenida. Pero por la noche me deprimí. Pensaba en mi regreso a París, en los impuestos que debía pagar. Leí el periódico, la misma porquería invariable. *Partout.*

—¿Sabes? —le dije a mi amiga—, somos dos candidatas seguras al suicidio.

—No, hay que seguir, debemos continuar, aunque a veces me dan ganas de cerrar los ojos y no abrirlos, dormirme...

—A mí también, lo ideal sería dormirse e irse del parque para siempre.

Pasamos dos días maravillosos, aisladas.

Regresamos a Miami, visitamos a una pintora que hace cuadros inmensos, chinos, cubanos; la simbología proviene de la religión sinocubana, de lo africano y lo chino. Ana es muy simpática, se había vuelto budista y hacía yoga. Antes era rumbera y bastante guaricandilla, según su propia versión. La pintura y su gato, llamado *Rumbo,* que camina siempre de lado, la calmaron, la obligaron a sentar cabeza. Le conté que me pasaba la mayor parte del tiempo triste y me mandó a ver a un babalao.

La Gusana y yo fuimos a ver al babalao. Me registró. Todo se resolvería, según él, o sea, según su interpretación de cómo habían caído los cocos en la estera. Pero tenía que matarle un gallo a Eleggua. Esa misma tarde compramos el gallo, le retorcí el pescuezo como me había enseñado mi abuela, y se lo puse a mi Elegguá, que es el niño de Atocha, a ver si mejoraba mi ánimo.

De ahí nos fuimos de nuevo al mar. Verde esmeralda, el agua transparente. Podría quedarme así toda la vida. El mar devoraba mis ojos, yo soy su sirvienta. Amo el mar, me entregué a él. «¡Yalodde, Yalodde!», vocea una voz distante. Le temo, profundamente, tiemblo, tiemblo como una moribunda.

Pero ¡me cago en su puta madre, qué calor! El sol castigaba como si chorreara plomo derretido en pleno cráneo. Cinco minutos más tarde, ¡mierda, tremendo perro aguacero! Era domingo. Odio los domingos y los lunes. Había sacrificado un gallo para contrarrestar la melancolía, y seguía igual o peor.

—¡Mira que me la paso bien contigo! —declaró eufórica la Gusana.

—Yo también, aunque siempre tengo como el estómago frío, y no me siento bien en ninguna parte.

—A mí me sucede igual, pero cuando estamos juntas resulta menor el daño. ¿Me equivoco o te percibo demasiado indiferente ante todo lo que acabas de sufrir? —Me miró fijo—. No te recomiendo que te tragues la mierda, hay que escupirla, hace menos daño fuera, y aquí estoy para oírte...

—Te lo agradezco, sé que estás, siempre estuviste, y estarás. No, ¿sabes?, prefiero pensar que todo esto ha sido una pesadilla... Y barrer hacia la calle... No sé cómo explicarte lo que siento. Un vacío, una extraña sensación de que nada peor podrá ocurrir.

—Mejor así, mejor así... —empezó a silbar la melodía de un bolero, interrumpió el silbido para repetir—: Aquí estamos ambas, para cuidar una de otra, aunque sea de lejos.

Asentí, seguro que sería así. Nos protegíamos, nunca dejó de ser de esa manera. Regresamos al atardecer, un atardecer entre rojizo y malva.

Dormí poco. Al día siguiente tomé un vuelo para Nueva Jersey.

En Nueva Jersey lo primero que hice fue ir a ver a mi hermana; estaba bastante mejor de su reciente operación. Mientras hablaba con ella de los detalles de la recuperación, me preparaba mentalmente para mi regreso a París. «¡De aquí a que vuelva a ver a mi hermana!», exclamaba yo para mis adentros. Ella me brindó café sin siquiera imaginar que me detenía en cada fragmento de su rostro para conservarlo nítido en mi memoria, cuando estuviese sola, y lejos.

Deseaba regresar a París y al mismo tiempo quería quedarme con mi familia allí. El París que extrañaba no era precisamente el que me esperaba; más bien sentía nostalgia del París de un remoto pasado, en el que todavía me abrigaban las ilusiones. «Me gustaría —medité— cerrar los ojos y dormir durablemente.» En todos esos días apenas me había acordado de Fidel Raúl; su infidelidad y su ingratitud mataban cualquier vestigio de ternura en mí. La traición de su parte, de alguna manera, la esperé segundo a segundo. Yo provoqué lo sucedido. Es tan difícil ser uno mismo, ser yo, así de simple; por eso cada día intento emborronarme en la verdad, porque sólo la verdad íntima y personal cuenta, y ese yo oscuro y perturbado debería desaparecer. Aunque me agradaría enormemente desaparecer, pero no tengo el coraje de matarme, todavía no. Hubiera preferido viajar en el tiempo, retornar al París en que me dedicaba a modelar para un pintor célebre. Monsieur B. me desnudaba, y soltaba a sus gatos de angora, a que me lamiesen el sexo, y él se ponía a pintar mientras silbaba canciones de Fréhel, o de la Mistinguett, o de Juliette Gréco, y de Edith Piaf.

El exilio es duro, los amores se van. Solo de violín.

Aún no hacía mucho que estaba en Nueva Jersey y la Gusana me llamó para contarme que un pájaro chismoso de Miami le había telefoneado para informarle oficialmente —¡oigan eso!— de que por allá todo el mundo estaba escandalizado de que yo hubiese pasado por allí sin querer ver a nadie, pero además, que habían visto una foto mía, desnuda, en el sitio de www.emanaciones.com.

—Dile que prefiero posar desnuda en un blog que ser entrevistada en una emisión de televisión *people* miamense, y *p'a la pinga all right,* que se vaya a singar, que no joda...

La Gusana se rió a carcajadas. Menos mal que no vi a casi nadie, de la que me libré.

¿Quiénes son mis héroes cotidianos? Aquellos que consiguen sobrevivir a la mediocridad cotidiana. Una tarde, en Miami, bajo un intenso aguacero, entré a refugiarme en una funeraria. Dentro, el empleado, pintaba unos cuadros preciosos, enormes, a poca distancia de los féretros. Era pintor, pero se ganaba la vida cuidando ataúdes. Entretanto, no desperdiciaba el tiempo en el chisme ni en ninguna *sapingá* por el estilo: pintaba, pintaba incansablemente. Ésa es la gente que me importa.

Decidí borrar los recuerdos de Miami. Me fui a dar un paseo por Chinatown. El barrio chino bajo la lluvia me recordó un cierto ambiente de esa Habana que no existe más. Encontré a un grupo de chinos que hablaban perfectamente con acento cubano, eran exiliados cubanos, antes sus padres fueron exiliados chinos, o sus abuelos; no entendí bien la historia que me hicieron. Crucé una calle y ya estaba en Little Italy, me senté en un café y pedí un *canolis* y un *ristretto.* Salí de allí y me dirigí hacia SoHo, donde me volví a sentar en un café, pequeño; el dueño era francés. Ese deambular de café en café era la evidencia de que París me faltaba.

—*You can stick the umbrella up my ass but don't open it* —escuché decir a la camarera.

Era una frase que repetía una y otra vez la mamá del amigo de mi hermano. Me parece una frase perfecta para hacerle entender a una persona de que no somos idiotas.

En la 51, entre la Primera y la Segunda, me tropecé por azar con un amigo de hace tiempo. Cuenca, pintor también. Nos abrazamos, no podíamos creer que nos hubiésemos encontrado allí, en pleno centro de la Gran Manzana. Me invitó al quinto piso de un vetusto edificio, allí residía. Me brindó un café. Esa noche no dormí tampoco.

Cuenca hablaba y hablaba, yo lo escuchaba con los ojos clavados en su ágil cuerpo, como de adolescente. Contaba que su carrera se había terminado, «por culpa de esta maldición que ha caído sobre el mundo», apuntó. «No le falta razón», pensé. Si hay algo que no podía entender, y que le molestaba muchísimo, era escuchar a un judío defender a Castro. ¿No se han enterado de que Adolf Hitler era comunista? El hecho de que alguien fuera judío era un pretexto para Hitler, en verdad. Hitler detestaba la burguesía representada por los judíos, despreciaba su deseo de trabajar, de desarrollar la economía... «Nadie entiende eso», continuaba alarmado. Explicaba minuciosamente cada partícula de la psicología de Hitler. Enervado, comenzó a gritar, a manotear. Lo entendí perfectamente, es fácil caer en esos estados después de todo lo que hemos vivido, por culpa de un manganzón de la talla del dictador caribeño.

—Lo peor de Günter Grass —se alisó el pelo encrespado con los dedos— no es que haya pertenecido a la

Juventud Hitleriana —prosiguió— y que lo haya escondido durante todos estos años, lo peor es que siga babeándose delante de los dictadores. ¿Te das cuenta? No, pero ¿tú te das cuenta?

Repetía, y claro que me daba cuenta. Hacía poco que el escritor alemán había sido recibido en Aquella Isla por la más alta jerarquía.

—Fíjate, lo amigo de Castro que se ha hecho, ¡y nadie ha pensado en quitarle ningún premio! No, no es necesario. Sin embargo, si nos ponemos a reflexionar sobre la cantidad de escritores que no recibieron los premios que él ha recibido: Jorge Luis Borges perdió el mismo año que Gabriel García Márquez ganó el Nobel. Después de eso, Gabo no ha sabido contar nada más, se le fue la musa, le vendió, ¡la musa le vendió! Es la razón por la que no para de confesarse en los libros, para atraer a los sapingonautas...

Empezó a dolerme ligeramente la cabeza, pero el pintor no paraba.

Aseguró que él ya no era más pintor, ni filósofo, ahora era un científico que investigaba las sociedades. Nos despedimos al amanecer, acudí a la entrada del metro más próxima con la sensación de que abandonaba a un genio extraviado en medio de una ciudad demasiado hecha a su medida, aunque cruel, sin duda ridículamente cruel. Hay muy poca gente verdadera en este planeta, y la mayoría de ellos se equilibran, o desequilibran, con un pie en el límite de la locura, en una cuerda floja imaginaria.

El metro estaba cerrado, al menos esa entrada. Paré un taxi. Casi todos los taxistas de Manhattan se llaman Mohammed Alí, o yo cogía siempre el mismo. Nunca vi a

Boy George en concierto, sin embargo, acababa de percibirlo cumpliendo una condena como barrendero de Nueva York, escoba en mano, ¡quién lo diría! Un héroe de mi época, escoba en mano en las calles de Nueva York, otro asunto con las drogas. Mis ídolos de los años ochenta caían unos detrás de otros. Mi muerto preferido era Freddie Mercury. Boy George, ahora, más conocido como barrendero de Nueva York que por sus canciones. Los que mejor han sobrevivido han sido Prince, Sting, Cyndi Lauper. ¡Cómo me hubiera gustado haber ido a los conciertos de esos monstruos! Pero nací en una isla de mierda, para colmo comunista, y por oír una canción de los Beatles te metían en cana. Hace poco Paul McCartney fue a Santiago de Cuba en visita privada. Dicen que en un libro de visitas escribió encima de su nombre: «¡Viva la revolución!» ¿Ignorará que esa misma revolución prohibió sus canciones durante décadas? Debió de haber escrito: «¡Vivan todos aquellos que cayeron presos en una celda castrista por haber escuchado un disco de los Beatles!»

Madonna es un caso aparte, continúa de reinona, la adoré tanto... Actualmente apenas la entiendo. La encuentro indolente, falsa, lejana de ella misma, metida en ese mundo espiritual de a tres por quilo. Resulta cómodo asumir el cuento de jugar a la espiritualidad cuando no sólo no se carece de nada, cuando se es multimillonario.

Contemplé la ciudad a través de los cristales del taxi. Al mismo tiempo, Nueva York es una ciudad que da la impresión de que se entrega toda sin pedirte nada. Aprecio esta ciudad, pero más amo París. *Goodbye, New York!*

Regresé en un vuelo de Air France, malísimamente atendido por Delta Air Lines. Junto a mí le tocó el asiento a un tipo raro que abrió su pantalón una vez acomodado, colocó la almohada a la altura de la portañuela, me miró con cara de carnero degollado, sonrió inclusive tiernamente... No, pero... no puedo creerlo... Empezó a masturbarse, eyaculó en la colchita de la compañía aérea, finalmente cayó rendido. No acabo de entender a los machos.

Delante de mí tosía aparatosamente una rusa ultramegasofisticada, con un perro de raza igual al de la película *Le Mask*, el mismo tipo de perro idiota, quiero decir... Evidentemente, el perro era tan estúpido que no paró de llorar en todo el viaje, incluso empezó a tener diarreas, apestosísimas. La gente es demasiado amable con los perros; más que amables, imbéciles. En lugar de educados resultan imbéciles, y cuando se trata de perros, peor. La mayoría de los pasajeros sonreían al perro, y a la «perra» de la dueña. Si se tratara de un bebé el que llorase en lugar del perro, acabarían por desear estrangular al bebé. Pero era un perro. Es innato en ellos, los animales enternecen más a los seres *humalos* (diría Cuenca) que sus homólogos. Yo estuve a punto, en más de una ocasión, de coger por el cuello a la rusa y de no soltarla hasta verle la lengua morada un metro fuera de la boca. Y luego hacer lo mismo con el maldito animal.

¡Por fin llegué a París! ¡A mi París! ¡Qué manera de amar esta ciudad! ¡Me siento una parisina-habanera! ¿No debería decir habanera-parisina?

Empecé por leer los viejos periódicos en la cama del hotel: Segolène Royal en biquini, como si Violeta Chamorro, Mireya Moscoso, Angela Merkel, Golda Meir, todas mujeres que han sido y son presidentas o políticas, hubieran tenido que ponerse en biquini para llegar a serlo. Entonces, no sería nada que una Miss France llegara a presidenta, si la cosa va por mostrar las curvas, o la osamenta, nada que argumentar en contra.

Abandoné los periódicos. Encendí la computadora, me conecté. La Gusana me había enviado ya un e-mail:

Para que no padezcas nostalgia de Miami, te envío estas dos viñetas:

A Gilbert, la dulcería a la que te llevé, llegó una dama en apariencia sumamente refinada. Gilbert es una dulcería con fama de elegante. La dama compra un *cake* y, para poder extraer el dinero del monedero y pagar, le entrega la caja a su hijo, un muchacho de unos doce años, y le ruega que tenga cuidado. El chico sale a la acera con la caja en las manos. Empieza a llover con un palo de agua de esos impredecibles.

—¡Niño, cojones, entra *p'acá*! ¡Mira que el *cake* se va a ensopar, pinga! —gritó de pronto la dama sofisticada.

El adolescente entró rojo de vergüenza. ¡Suábana! Tremendo gaznatón que le espantó la madre.

¡Coge, por guanajón!

El chiquito se puso punzó de ira.

Segunda viñeta de Miami, para combatir tu soledad:

Una dama de gran alcurnia me preguntó si ya te habías marchado. Le respondí que sí, que tenías que regresar a ponerte a escribir una novela.

Chica, ven acá me haló por la manga de la blusa—, y ¿por qué razón no le han dado a ningún cubano todavía el premio ese que dan en Suecia? Deberíamos hablar con los cubanos exiliados en Suecia, estoy segura de que ellos podrían resolver esa bobería...

Me habló como si se tratara de una nueva marca de desodorante que deberíamos conseguir a cualquier precio. ¡Ay, los cubanos y su visión del mundo!

Espero que hayas hecho buen viaje,

TU GUSANA

Revisé los periódicos en sus ediciones digitales. Gaza, sin bombardeos, destruida. Gaza amenazada todavía por Hamás.

Con el hermanazo de Castro I no ha habido cambios, y los periodistas se desayunan ahora con eso. Ni ha habido ni habrá. Cuba, país en la oscuridad, invadido por la humareda, devorado por el miedo y la duda.

Al día siguiente salí a un almuerzo, me encontré con Sabine y con Tamara, ambas libanesas. Las dos conocieron la guerra. Ya habían inscrito a sus hijos en la escuela francesa. No pensaban regresar. Sabine tenía el semblante triste, mientras que Tamara me contó un poco de su nuevo trabajo como masajista. A ambas las conocí en una consulta del médico, semanas antes de viajar a Nueva York y a Miami. Nos habíamos hecho bastante amigas, al menos una vez por semana tomábamos un café juntas o cenábamos. Sabine extrañaba el Líbano. Me dijo que prefería vivir libre, y no encerrada en el Líbano, que ahora comprendía mejor a los cubanos, apresados desde hacía cincuenta años en Aquella Isla.

—¡Eso es peor que la guerra! —exclamó.

Tamara no estuvo de acuerdo, yo tampoco, aunque un poco sí, estoy de acuerdo. Entiendo el sentido de sus palabras.

Se me aguaron los ojos, por ellas, no por nosotros, no por los cubanos. Semejante gesto de generosidad no lo olvidaré nunca. Regresé al hotel temprano.

Me picaba todo el cuerpo. Descubrí que tenía granos por todas partes: en la nariz, en la boca, en las nalgas, en la tota. Debía de estar empezando mi proceso de desintoxicación de la comida gringa, que me gusta mucho, pero que me ponía mala. Me embadurné de una loción que me da el boticario de la farmacia de la Bastilla; mejoré algo. Cerré la ventana, empezaba a refrescar.

No conseguí dormir. París es mi cuartel.

Empecé a ver en la computadora la película *The lost city*, de Andy García, con guión de Guillermo Cabrera Infante. No era mala, tampoco buena, no es peor que otras que han tenido buenas críticas solamente porque el Che ha sido mostrado como si fuera la Virgen María o, por el contrario, como un pederasta revolucionario que descubría montado en una motocicleta la pobreza de América Latina.

La noche se puso fea, llovió, tronó. Finalmente amaneció, con tonalidades rojizas. En seguida el día se puso más feo que la noche anterior. Llegó el otoño, mi estación preferida. Aunque prefiero el verano indio, como en aquella canción de Joe Dassin.

En Cuba nadie sabe lo que quieren decir las estaciones: primavera, verano, otoño, invierno... Siempre hay calor, un calor permanente, o aguaceros interminables, ciclones...

Janine, la conserje del inmueble de al lado del hotel, me invitó a tomar un café. Me gustaba mucho conversar con esa mujer. A media mañana me llamaba, o yo a ella, para compartir un café en la plaza Sainte-Catherine. Sin embargo, nuestra relación comenzó mal por culpa de la Sabandija Cubana. ¿Por dónde andará ésa, o ése? Ah, sí, la rata, la sabandija, Janine me contó que se la tropezó el otro día. Gris, verdosa, llevaba un perro atado a una correa.

—Por cierto, ¿se ha enterado usted de que el inmueble de Beautreillis, el hotel de Mónaco, ahí donde usted vivía, volverá a ponerse en alquiler? Pronto terminarán los trabajos, y el nuevo dueño ya colocó anuncios por dondequiera...

Aparté la idea que de sopetón me vino a la cabeza. Jamás volvería a ese sitio. Al rato, dejé a Janine y deambulé por el Marais. Me aburría y decidí meterme en el cine, pero la idea de mudarme de nuevo a Beautreillis no se apartaba de mi mente.

Sumamente aburrida, así me sentía. «Si alguien llamara», susurré. Nadie venía en mi auxilio, pensé mientras regresaba al hotel. Había engordado: «Voy a tratar de empezar un régimen, una dieta», me dije. Una dieta para aburrirme todavía más.

Esa misma noche empecé a alimentarme estrictamente de verduras. Vi un poco la televisión; cuánta egolatría entre los políticos, cuánto personaje inútil. Llamé a Marcela. En seguida me anunció su decisión de volver a mudarse a Beautreillis, ya se había enterado de que la renovación estaba casi culminada.

—¿Qué día es hoy? —pregunté.

—Domingo. Me gustaría que sólo existieran los domingos —bostezó Marcela.

—No, yo odio los domingos y los lunes.

—Voy a alquilar en Beautreillis —recalcó.

Nos dimos cita para que al menos la acompañara a la agencia, ya que no me interesaba regresar al hotel de Mónaco como inquilina.

Tres días más tarde había perdido el apetito, comía por inercia, sin gusto, para ocupar mi boca y no hablar mierda, sobre todo para no repetir la basura de los telediarios. Llegué a la agencia, allí me esperaba la fotógrafa.

—*Voilà!* —exclamó, eufórica, Marcela—. Voy a cantar la mitad de un bolero para ti.

Y se lanzó a cantar mientras aguardábamos a la tipa de la agencia.

—¡Cállate! —Hice señas para que se tranquilizara—. Te tomarán por loca y no te darán el apartamento.

—Soy francesa, soy europea, hablo y escribo en dos idiomas, esos dos idiomas me hacen feliz. Eso es ser libre, estate quieta tú. —Me hizo un guiño divertido.

La mujer abrió el dossier y mostró los apartamentos que quedaban libres. Para sorpresa nuestra la mayoría de ellos habían sido reservados. El inmueble no sólo acababa de ser restaurado, además los apartamentos ahora poseían dimensiones considerables. Marcela eligió uno, el alquiler era mucho más elevado, pero ella podía permitírselo. Además de que Samuel se mudaría con ella, y entre los dos se las arreglarían para pagarlo.

—¿Por qué no te embullas? Es el mejor barrio de París... —murmuró.

—El mejor es el Dieciséis.

—No me dejaste terminar, el mejor al que yo puedo tener acceso.

La mujer de la agencia le sonrió cómplice. Yo dudaba todavía.

—En el *atelier* del entresuelo, donde usted vivía antes, hemos construido una *mezzanine*, porque los señores de los bajos de usted, los que siempre se quejaban de la boronilla que les caía del techo, decidieron mudarse a Hungría. Y entonces el apartamento de ellos, junto con el que usted habitaba, los hemos unido... —siguió explicándome—. Es el más barato, aunque es uno de los más grandes. Porque, como el inconveniente es que queda a ras de patio, casi nadie lo quiere.

Fijé las pupilas en el plano que me mostraba. Aún no entiendo por qué dije que sí, que tomaba el apartamento, sin pensarlo más de dos veces. Como una drogada respondí afirmativamente al instante de preguntarme por segunda vez si empezaba a montar el dossier. Marcela se frotaba las manos de alegría. De nuevo empecé a presentir que algo importante acontecería; me guié por el cosquilleo en el paladar, en el estómago, y por una picazón incesante entre el cuero cabelludo y el hueso craneal.

El patio del antiguo hotel particular de Mónaco, en el 10 de la rue Beautreillis, resplandecía. Los trabajadores habían extraído piedra a piedra, las habían limpiado con arena caliente, y vuelto a colocar cada una en su sitio. Cada porción original del edificio fue restaurada fragmento a fragmento. Marcela, Samuel y yo contemplábamos la obra desde el mismo centro del patio, que a nosotros se nos antojaba como el centro del mundo, ombligo de la Tierra, punto esencial de nuestro universo, al que regresábamos esperanzados y conmovidos.

Repentinamente la puerta se abrió, y el chofer de un taxi colocó unas maletas en el zaguán. Del taxi descendió una anciana, se trataba de la Memé sorda. La mujer, ya no tan encorvada, parecía rejuvenecida, colocó un billete en la palma de la mano del taxista y lentamente se dispuso a cargar su equipaje. Al punto fuimos a darle el recibimiento y a ayudarla; comprendimos que la Memé se mudaba otra vez al edificio, tal como habíamos decidido nosotros, los primeros en llegar.

Se alegró de volver a encontrarnos, porque la única preocupación que martillaba en su cabeza durante su viaje era con qué clase de vecinos se toparía. ¡La había pasado tan fenomenal con los cubanos!, exclamó. Indagamos por su estancia en el asilo. Ella prefirió llamarlo «hogar de ancianos». No le había ido mal, pero se aburría con los viejos. Ella se sentía vieja de cuerpo, añadió, pero de mente estaba al quilo, ¡nikel! Su único defecto de fábrica era la sordera, pero para ella no constituía una barrera en la vida, y renegó de los aparatos porque el día que oyó cómo era el mundo se horripiló. Preferible entonces, para ella, quedar varada en el silencio y contemplar la mímica con la que se expresaba el ser humano. Con los cubanos estaría bien servida en cuanto a gestualidad.

Ayudamos a la Memé a instalarse. Su apartamentico había quedado hecho una joya, pintado, limpio, la antigua madera del piso reluciente. Le hizo mucha ilusión volver a encontrarse con nosotros, repitió que nos había extrañado, con los ojos brillantes. Marcela sacó la cámara y tiró varias fotos. Samuel aprovechó para filmar. La Memé sacó una tetera, también unas tazas, y nos preparó un té de jazmín. Nos despedimos, al rato, de ella, y bajamos al patio, una vez que guardamos nuestro equipaje en los respectivos apartamentos. Yo no podía creer el espacio tan inmenso en el que viviría. Entonces, me puse a especular con Samuel y con Marcela, qué utilidad le daría a cada rincón, y los muebles que compraría. Lo primero que coloqué en la pared fue el Elegguá de Wifredo Lam.

Mientras conversábamos en el patio, por segunda vez se abrió la puerta. En esta oportunidad, la que llegaba era Migdalia, la institutriz; portaba varias maletas, tres grandes, y dos maletines de mano. Un señor la acompañaba.

—¡No puedo creer que estén aquí! —Soltó todo y corrió a abrazarnos.

—¿Qué? ¿También de mudanza? —Marcela tiraba fotos, Samuel filmaba.

—Claro. Leí por Internet que el dueño volvía a alquilar, y me dije: «Qué caray, regreso a París, a mi mundo infernal», jajajaja... ¡Qué sorpresa que ustedes hayan decidido lo mismo! Miren, les presento a mi novio...

Migdalia sonreía tímida. El hombre era de Granada, empresario, viudo. Y entre los dos habían decidido que vivirían entre Granada y París.

—Me alegro muchísimo por ti —le susurré al oído—. Oye, eso no te lo vaticinó el espíritu.

—¡Sí, sí, sí! Lo que yo andaba muy *trafucá* de la mente por esos días y no entendía correctamente el mensaje...

Una vez más se abrió la puerta. Y, entonces, fueron los Talleyrand los que sonrientes atravesaron el umbral en dirección al patio. Los niños habían crecido increíblemente. Germana caminaba, ¡y corría! *Raysa Gorvachiot*, la perra asesina, no los acompañaba: quiso quedarse en Marie Galante, con el tío de Toussaint. Claretta anunció que estaba encinta nuevamente, y el pequeño Lucien adelantó que lo bautizarían con el nombre de Pavarotti, por el célebre tenor italiano.

—O sea, se llamará Luciano. Serán dos en la familia, Lucien, tú, y Luciano, tu hermanito —comentó Samuel mientras lo filmaba.

—No, no —aclaró Claretta, nunca mejor dicho—. Le pondremos Pavarotti. Pavarotti Talleyrand. Pavarotti como nombre.

Nos miramos unos a otros. Intenté cambiar de conversación y evoqué a la Memé.

—¡La Memé también regresó! Cogió el mismo apartamento —vociferé para que ella me oyera. No creo que lo consiguiera.

Todos gritaban eufóricos, alegres.

Yo no estaba muy convencida de que vivir en el mismo ambiente fuera lo más saludable, y me preguntaba qué clase de conjura se habría formado aquí, por arte de qué manipulación maquiavélica nos hallábamos ahora mismo mirándonos a las caras, contentos, en el colmo del paroxismo; qué quiso el destino que sucediera para que volviéramos a hallarnos todos en el mismo sitio. «Esperemos que no sean todos, todos, o sea —musité—, que no se repita la misma configuración inicial del personal que ya conocimos.» Pero mis pensamientos fueron interrumpidos por la puerta, nuevamente abierta de par en par. Y por ella hicieron entrada Funchal, Hinojosa y Jessica, la argelina.

—¡No te perdono —Funchal acudió eufórico a abrazarme—, óyelo bien, no te perdono que hayas ido a Miami y que no me hayas contactado!

Junté mis manos fingiendo piedad. Hinojosa me cargó en peso. Nos abrazamos.

—No puedo ni imaginar que estemos reunidos aquí, sin avisarnos, y sin ponernos de previo acuerdo, y que hayamos decidido retornar... —Jessica avizoraba algo de nigromancia en el asunto.

En eso escuchamos un chirrido proveniente de la acera; las ruedas de la carriola de Arôme chirriaban de manera muy parecida. Volvimos a observarnos consternados. Primero hizo su entrada Hëno, montada en una bicicleta, detrás su hermano, en la célebre carriola, y en seguida sus padres. Gus vestido de cuello y corbata.

Helga enfundada en un suntuoso abrigo atigrado, aunque aún las temperaturas no habían descendido lo suficiente para tan soberbia prenda. ¿Quién nos había convertido a los noruegos ecologistas en atildados burgueses de aro, balde y paleta? Desistí de hacerles semejante pregunta incómoda, un tanto politicona, que se quedó extraviada en alguna parte de mi materia gris.

—Esto se está poniendo feo. Si por ahí entran Plisesskaya y Petro, entonces sí que me mando a correr, señores, ¡esto es brujería y lo demás es cuento! —alardeó Funchal.

No hicieron aparición precisamente el cubano bailarín y el brasileiro, pero sí el Dramaturgo y su esposa. A Casimiro Láynez no le extrañó que el azar nos hubiera situado en esta jugada telúrica, así nombró él la conjunción cósmica de las mismas personas que antes poblaron el inmueble y que ahora regresaban por la vía de lo sutil romántico, muy a lo Gérard de Nerval.

—¡Vaya casualidad! —irrumpió Ghilaine.

—No, jamás de los jamases se trata de una casualidad —reprobó el Dramaturgo a su esposa—. Esto es puro azar concurrente lezamiano, la vivencia oblicua, ¡el copón divino!

Buscó en uno de los maletines y se dispuso a leer un fragmento de *La cantidad hechizada*, cuyo autor es el maestro José Lezama Lima. Mostró triunfante el volumen, edición príncipe.

Así, íbamos de un asombro a otro. Poco a poco irrumpieron los restantes vecinos del inmueble. Los esposos Lapin, que en la campiña francesa se sintieron muy a gusto pero, en verdad, no podían olvidar el hermoso período de sus vidas en Beautreillis; y entonces, un atardecer, Madame Lapin leyó un anuncio en *De particulier à particulier*, acerca del hotel de Mónaco, y animó a su marido a que volvieran al sitio donde tan felices habían sido en compañía de los cubanos, de la rusa, de la polaca, del inglés, de la argelina, y de los franceses de ultramar y metropolitanos.

No bien culminó su discurso Madame Lapin que la puerta volvió a crujir y entró Natasja, sonriente, como si supiera de antemano que nos volvería a ver, y como si la estuviéramos esperando precisamente a ella.

—¿Saben?, fui la última en decidirme en alquilar, después de Yocandra y de Marcela. Y ya me había enterado de que ustedes lo habían hecho antes. —Nos besó a todos en la boca, a la manera rusa.

—¿Y el piano? —preguntamos a coro, levemente perturbados.

—No se preocupen, lo traerán mañana.

Más bien estábamos preocupados justamente porque lo trajeran.

Seguimos conversando, contándonos nuestras vidas durante ese breve espacio de separación; tampoco había sido tan largo, mucho menos debíamos exagerar. Empezaba a enfriar, y Helga propuso encargar una cena. Improvisamos un discreto banquete bajo una tienda de campaña que extendió Samuel con ayuda de Funchal y de Hinojosa.

La puerta emitió un quejido. Pensábamos que sería la cena encargada y quienes la aportaban los que la abrían. Pero esta vez le tocó el turno a Sherlock Holmes, pipa entre los labios, impermeable gris. Aseado, perfumado, rejuvenecido. No podía ni imaginar lo que estaban viendo sus ojos: ¿qué hacíamos nosotros esperándolo? ¡Su sueño se había cumplido! Había tenido un sueño premonitorio de eso que estaba viviendo ahora, tanto era su deseo de volvernos a ver. Nos contó que había soñado con que nos dábamos cita todos en las pirámides de Egipto, y que finalmente era tan fantásticamente simpático, con esos cubanos, añadió.

El Dramaturgo lo recibió entre sus brazos, encantado de encontrarse con uno de los pocos vecinos que podían entenderlo cuando él se refería a la poesía inglesa, a las rosas, a los olores, a los perfumes intensos que tanto apreciaban los poetas ingleses. Y ambos hombres entablaron una conversación amigable: Láynez le contaba sus experiencias en Egipto; el otro, en los burdeles londinenses, hacía tantos años atrás. Ya no quedaba nada de aquel mundo tal como él lo había conocido, suspiró nostálgico.

Y con los que traían la cena llegó la polaca, Milena, bellísima, elegante, toda una diva. Entonces se tapó la boca, soltó un gritico teatral, y cada uno de nosotros la abrazó. Se quedó bastante tiempo entre los brazos del inglés, por cierto, y por tercera vez nos miramos cómplices. Ahí empezaba a brotar una historia, y no una cualquiera. El inglés y la polaca se miraron más tiempo de lo previsto, y al rato ella le metió tremendo beso en los labios. Nos quedamos de piedra, pero al instante reaccionamos porque la cena se enfriaría si seguíamos comiendo mierda.

Migdalia soltó una larga frase acompañada de un suspiro, súbitamente:

—¡Ay, mi madre, santo cielo, Virgen de la Caridad bendita, milagrosa adorada! —Tocaba el piso con los nudillos repetidamente y levantaba los brazos al cielo en seguida—. ¡La premonición terrible! ¡Sólo faltan Pliseskaya y Petro!

—¿Los habrán secuestrado los terroristas palestinos? —no me pude contener.

El patio se llenó de murmullos y los cuervos graznaron a coro.

—¿Alguien tiene el móvil de uno de ellos, o de los dos? —la rusa sondeó entre los presentes.

Revisé en mi agenda y, ¡sí!, había guardado el número de Pliseskaya. Telefoneé, el resto me observaba en vilo.

Escuchamos, del otro lado de la puerta, la melodía de *L'après midi d'un faune*. ¿No era ése el tono de timbre que le había puesto el bailarín cubano a su móvil? Saltamos al unísono, asombrados. Pliseskaya entró, ligero, como si avanzara en puntas de pie, en un acto milagroso de levitación. Detrás, Petro.

—¿Qué-hacen-ustedes-aquí? —pronunció estupefacto Petro.

—Lo mismo que ustedes, suponemos —respondió Hinojosa.

—¿Y ustedes, no andaban por Israel? —insistió Migdalia, un poco frustrada de que su premonición no hubiera funcionado, aunque aliviada por verlos sanos y salvos.

—Sí, claro, por fin conocí a mis primas; estuvimos en Tel Aviv y en Jerusalén. No fue un viaje agradable. Es triste dejar a los familiares de uno en un país en guerra —suspiró dramático Petro.

—Yo sabía que se me iba a cumplir lo que pedí en el Muro de las Lamentaciones —apenas murmuró, agotado y al mismo tiempo agobiado, el cubano—. Pedí que nos reuniéramos otra vez, en algún sitio de este mundo. Me duele la frente de tanto que me la golpeé contra el Muro, rezando por volverlos a ver...

Nos doblamos de la carcajada, burlándonos de su declaración.

—Se lo juro —siguió—, incluso me dio el síndrome de Jerusalén. Me caía desmayado en las esquinas, y me entró la manía por irme cada mañana al Muro de las Lamentaciones a entrarme a tortazos contra el muro.

—Todo sea dicho, también a la misma hora iba un chico húngaro precioso, con uno de esos cuellos y esos muslos tan, tan, tan húngaros... Y no duden ustedes de que por eso armaba ese teatro, para llamar la atención —apostilló Petro—. Y se la pasaba orando: «Qué chévere, qué chévere», que en húngaro quiere decir no sé qué.

Nuevamente las carcajadas inundaron con su eco seco el patio.

Súbitamente una nube espesa se instaló entre las estrellas y nosotros.

—¿Volverá la Sabandija? —susurró Hinojosa.

—Ah, pero ¿no se han enterado aún? —Marcela paladeó la pregunta.

Negamos con las cabezas. A Marcela le había contado Rémy Dubois, el escultor fracasado, que la Sabandija había finalmente sido detenida y se encontraba en la prisión de La Santé. ¿Cómo fue?, interrogamos desordenadamente (sin intención de hacerle un homenaje a Benny Moré). Marcela pidió calma. Y Pliseskaya soltó cuando todos estuvimos en silencio: «¡Por el robo a la pintora Gloria Piñón!», se palmeó el pecho, en un sobresalto, el bailarín. «¡No, qué va! —contestó Marcela—. Mató a una vieja, la empujó contra un radiador, y la anciana, con la punta, se dio en el sentido. La policía encontró a la mujer chorreando sangre de la sien herida; corrieron detrás de la sombra que se escabullía hacia los techos de un inmueble del barrio Dieciséis. Allí lo atraparon, los bolsillos llenos de joyas y billetes de quinientos euros que había hurtado de la caja fuerte de la adinerada dama, emparentada con un jeque petrolero.»

—O sea, que nos hemos quitado al chivatón de encima —subrayó Láynez con un deje de satisfacción inusitado.

—Por el momento, se portará bien en la cárcel, dedicará su maldad a hacer cualquier cosa útil, publicará poetas presos, ¡qué sé yo! Y lo liberarán antes de tiempo, y hasta lo condecorarán con una medalla negociada. Ni lo duden.

En seguida nos dimos cuenta de que no éramos los únicos en haber sido espiados por la Sabandija Cubana, y que Láynez sabía, sin duda alguna, más de la cuenta. Entonces nos contó que la Sabandija no sólo era un doble agente que no dejaba títere con cabeza a la hora de redactar sus extensos informes, además estuvimos entre las garras de un ladrón y un criminal peligrosísimo, que también traficaba con obras de arte falsas. Al punto respiramos aliviados de, al menos, por un tiempo, no tener que soportar más la presencia de semejante energúmeno.

Con todas esas noticias dándome vueltas en la mente subí a mi apartamento. Me recosté en la cama, la almohada doblada debajo de la nuca; no podía conciliar el sueño. Encendí el canal internacional de la televisión española, pasaban un documental sobre Cuba. Prostitución infantil, corrupción, tráfico de drogas, de eso hablaban en el documental, presos políticos. «Cincuenta años para llegar a eso, qué horror», pensé. Luego hubo un panel. En el panel, dos escritores itinerantes cubanos defendían la revolución: ellos viajaban, claro. Ella, particularmente, negaba con encono a los escritores del exilio. ¿Quién era ella? Otra quendi sin obra, una inventadita, otra que no quiere ser escritora; ella lo que ansía es publicar libros. Dijo que el Gabo la apoyaba en todo, metió la pata, ya se le vio la costura. ¡Pobre tipa! Por suerte, en el programa estaban otros escritores españoles que conocían la realidad cubana, al parecer, mejor que los propios cubanos presentes, que eran unos comprados, con toda claridad, por el régimen. Uno de esos escritores mencionó a los presos políticos, a los chivatones, a la policía política. Yo sabía de eso, yo había vivido con uno de ellos, y por eso había traicionado a un disidente, por mi culpa estaba ahora preso. Tragué en seco. La quendi, que en cubano significa «loca», aseguró que esos presos, que esos disidentes eran pagados por el imperialismo... Ahí no pude más y apagué la televisión. Intenté dormir. Si pudiera mañana compraría una escopeta, como Sándor Márai, y me encañonaba la boca y, ¡pum!, se acabó. Fin de la historia. Aquí no se puede comprar armas así como así, igual un pomo de pastillas resolvería la situación.

Terminé el libro del escritor húngaro, sus últimos diarios, desde 1984 hasta 1989. Ese mismo año se quitó la vida. Su mujer y dos de sus hermanos habían fallecido meses antes. A mí no me cabe duda, hay que terminar cuando ya se tenga plena consciencia de que nada más es posible, y antes de que la piedad de los demás abrume con tonterías inútiles. «Pero aún me queda tiempo», una segunda voz surgió de detrás de una cortina con la intención de acallar a la primera, que, decidida, me impulsaba a que acometiera el fin, mi fin, armoniosa y tranquilamente. «Todavía amas a un hombre, te quedan amigos, acabas de mudarte a una casa donde podrás escribir, trabajar; la vida tiene un sentido», intentaba animarme.

«¿Qué sentido?, ¿cuál? —ripostaba la otra voz—. La persona que más amaba está entre rejas, la metí yo misma. Guardé el libro en la gaveta de la mesa de noche, lo releeré con toda seguridad», me dije. Di vueltas en la cama, empecé a sudar. Entonces, al rato, me levanté. En la cocina intenté concentrarme en otros pensamientos, en recuerdos agradables, mientras colaba un café.

Bebí el café lentamente, a sorbos cortos, puse la taza en el fregadero. Calcé mis pies con unas botas gruesas, afuera nevaba. Descolgué el abrigo y la bufanda y me dirigí a dar una vuelta. Era de madrugada. ¿Por qué de súbito empezaba a nevar? Todo este exilio, en el mejor de los casos, se presenta como una de esas películas de la *nouvelle vague*, una cosa así, bastante rara, a lo Truffaut, a lo Godard.

Llegué al río arrastrando los pies por el charquero de la nieve derretida, al muelle de la Rappée. Bajé a la cuña que hace el parquecito de Jussieu, frente a la punta de la isla Saint-Louis, donde se reúnen los homosexuales. Me agaché a contemplar de cerca el río. Hasta mí rieló una especie de barco de papel. No, no era un barco de papel. Se trataba de un plato blanco, rebosado de merengue blanco. «Una brujería», musité.

Mi vista siguió la trayectoria a la inversa que había hecho el plato. A lo lejos se agolpaba un grupo de personas. Eran los vecinos del inmueble de Beautreillis, pero únicamente los cubanos, sentados al borde del Sena, y contemplaban serenamente el oleaje.

Fui hasta ellos.

—Ah, tú también —silabeó Migdalia.

—¿Y esa brujería? —Me estudiaron atónitos—. La del plato blanco con el merengue dentro.

Migdalia se llevó el dedo índice al pecho.

—Mía, es una ofrenda a Oshún, para que mi novio no me deje... Regresará a Granada sólo por una semana. Pero me da pavor que no vuelva nunca más.

—Es lo que pasa cuando has tenido que dejarlo todo, que luego piensas que todo lo que encuentras te abandonará —Funchal masticaba un gajo fino mientras pronunció estas palabras.

—Sí, es eso, el exilio es pérdida constante —Hinojosa lo siguió con una chealdad de frase.

—No, caballeros, no hagamos un drama. El exilio es también muchas cosas buenas, vivir lo que uno quería vivir, en libertad. Sin la candanga de la presidenta del comité que te persigue, ni el chivatón que te delata, ni del otro comemierda del policía que te entra a manoplazos porque lo miraste atravesado, según él... —afirmó Samuel con encono.

Marcela dormitaba acostada en el filo del muro, aun cuando éste estaba empapado. Hacía tremendo frío, me estaba helando.

—No sé si aguantarán más tiempo aquí, pero hace un frío del carajo. —Hice ademán de irme. De súbito dejó de nevar, pero bajó aún más la temperatura.

Hinojosa acumuló gajos de los árboles del parquecito, encendió un fósforo, se hizo una pequeña fogata. Costaba trabajo que las ramas ardieran porque estaban mojadas. Láynez extrajo de su bolsillo una botella de ron, nos dimos varios buches. Del otro bolsillo sacó una canequita con alcohol puro. Roció las ramas secas, las llamaradas cobraron fuerza. Ardió el bulto de ramajes y amainó el frío. Empezamos a saltar alrededor de la fogata.

Marcela miró al cielo:

—Observen, salió la luna... *La luna y las fogatas...*

—Por supuesto —contesté—, de Cesare Pavese. No sé si es una gran novela, pero cuando la leí me lo pareció...

—¿No había una enfermera?

—Claro que había una enfermera, como en toda novela de la época. Un escritor de medio pelo; es probable que si la vuelves a leer no pases de las diez páginas —masculló Láynez.

Nos echamos varios buches de ron hasta que acabamos con la botella.

Al rato regresamos a casa. Por el camino se fue haciendo de día; un amanecer azuloso, tan lejano de las alboradas rosadas y cálidas de Aquella Isla.

A mi llegada a la casa telefoneé a la familia del Nihilista. Me respondió la voz de una venezolana: como en un disco rayado, negaba que allí viviera la persona a la que buscaba, ni nadie que tuviera que ver con los apellidos que yo le daba. Como a la llamada número veinticinco, por fin respondió una voz conocida, la de la hermana del Nihilista.

—No, no hemos cambiado el número... Ah, sí, claro, la venezolana. Ésa es la «compañera que nos atiende» por el Ministerio del Interior. No es venezolana, pero se hace pasar por una. Y no vive aquí, ni éste es su número. Intercepta todas nuestras llamadas desde el exterior y las recepciona... Debía de estar comiendo mierda cuando dejó pasar esta tuya.

—O quizá está escuchando ahora mismo nuestra conversación... —interrumpí.

—Si lo está, me da igual, ellos saben lo que pensamos de esta dictadura. Mi hermano lleva un mes en una celda de castigo, enterrado vivo, y que el mundo se entere es nuestro objetivo. Escríbelo, publícalo, hazlo saber, es la única manera de salvarlo.

Era la única manera de salvarlo. Las sienes me latían con esa frase en letanía, el reclamo de socorro con el que se cortó la llamada. No pude volver a comunicar, siempre daba ocupado.

Me senté delante de la *laptop* y empecé a escribir artículos sobre las condiciones de los presos en la isla, sobre el Nihilista y sus compañeros de causa. Envié los textos a todas partes, a todos los periódicos. Días después me planté en las Naciones Unidas; noche a noche protestamos un grupo de personas, exiliados también. Pasaron varios meses. Algunos medios me publicaron los artículos, otros me los rechazaron con un no rotundo. Sin embargo, la explicación no fue jamás que ellos estuviesen a favor de la dictadura, sino que ya nadie quería leer sobre los problemas de Cuba, al menos, no en esos términos. Y los que publicaron mis artículos de denuncia, inevitablemente, cortaban las partes donde se hablaba de torturas, de represión, de lucha por la libertad. Lo que quedaba de mis escritos no eran más que palabras ripiadas. Al final, dudaba si los lectores entendían la verdadera causa por la que esas personas se encontraban encarceladas, obligadas a penas de entre veinte y veintiocho años de cárcel. Y cuando conseguía que algún intrépido me publicara el artículo entero, con toda seguridad editaban un segundo en la columna de al lado que me hiciera la contrapartida, redactado por un energúmeno que defendía a ultranza los logros de la revolución, la maravilla del sistema, la valentía de Fidel de encarar a los americanos, y la misma baba de siempre, remachacada por un tonto útil. Los autores de esos artículos en su inmensa mayoría ni siquiera conocían Cuba, nunca habían puesto un pie en el horror ni pensaban ponerlo y, si por casualidad lo hacían, respondían a una invitación del régimen con todos los gastos pagados. Todos, sin excepción, formaban parte de esa recua de amargados, extremistas de izquierdas y de derechas. Lo malo no es la izquierda o la derecha; no hay que tener miedo hoy en día de la pluralidad de ideas, de partidos, de gente con intenciones de cambiar las cosas. Lo terrible, lo que realmente me da miedo, es el extremismo circundante, sea de un lado o de otro. El extremismo es fascismo o comunismo. Poseen el mismo número de víctimas, más o menos, una cifra que horripila.

La Gusana me llamó una madrugada. En medio del sueño apenas entendí lo que me estaba contando. Por fin comprendí que trataba de averiguar si mi sistema de abonamiento por cable recibía canales de Miami. Le expliqué que no los recibía todos, que sólo algunos. Me pidió que encendiera la televisión y los repasara. Lo hice, con el telecomando fui de un canal a otro. No, de ninguna manera, ninguno sintonizaba con el canal que ella estaba viendo.

—Creo que el tipo que se casó contigo, y que te traicionó, el que metió al Nihilista en la cárcel, ese Fidel Raúl, está aquí en Miami, de nuevo...

—No es nada nuevo —murmuré con la boca pastosa—, es un policía que se pasea por el mundo entero como perro por su casa.

—No, no, no, ahora es distinto. Lo están entrevistando como a un héroe. Se asiló en Miami, acaba de decir que se llama Fidel Raúl, su madre es francesa, él también, pero estaba entre la espada y la pared a causa de su trabajo, y está contándolo todo en la televisión, o sea, está largando todo sobre su trabajo como espía castrista, cuenta lo que hizo y lo que no... Mira, ahora habla de que... ¡se tuvo que casar con una muchacha de Miami, una exiliada, en París...! Dice que fue para... ¡para poder buscar una información concreta que le pedían! ¡Y te está pidiendo perdón, «dondequiera que estés»! Lo cito textualmente.

No me extrañaba, nada me pareció raro. No me esperaba que Fidel Raúl se exiliara. Pero ¿estaría exiliándose realmente o sería una maniobra secreta más como infiltrado?

Del otro lado del auricular, la Gusana no paraba de repetirme palabra a palabra las declaraciones del entrevistado, al que recibían como héroe, entre exclamaciones de júbilo. Cuando le preguntaron al final a qué se dedicaría, respondió sin vacilar que intentaría trabajar en la Universidad de Miami o en el periódico local.

—Espera, ¿dijo eso? —Terminé por despertar—. ¿Estás segura de que dijo eso? —La Gusana me lo confirmó—. Ése está ahí infiltrado nuevamente, pero ahora a cara descubierta. Ahora le será más fácil trabajar, con la autorización de los Estados Unidos, será profesor o periodista; y ya verás cómo el tiempo me da la razón.

—Es probable. —La voz de la Gusana sonó triste—. Esta ciudad ha perdido la fuerza que poseía en su lucha contra el castrismo. Los viejos ya perdieron la batalla y se han ido muriendo, han sido muchos años acumulados, ya es agotador.

—Los viejos se han ido muriendo, los jóvenes sólo quieren vivir bien, en su gran mayoría, no creo que todos. Y tampoco hay que culparlos de nada. Con eso también contaban Fidel y Raúl, con el tiempo a su favor. Cincuenta años es mucho, demasiado tiempo.

—¿Tú crees que Obama hará algo? —La Gusana volvía a creer en alguien, en Obama.

—No creo en nada, no creo en nada que tenga que ver con este mundo cada día más politiquero y más sombrío. Sólo creo en la literatura, en los escritores que me dan miedo de la vida y me hacen confiar en el arte. En Jorge Luis Borges, en Mújica Láinez, en Sándor Márai, en Jean Rhys, y otros pocos más... No en muchos más, no en mucho más. Al menos, de ellos recibo lecciones para asumir el fin...

Nos despedimos brevemente. Me tomé tres pastillas, necesitaba dormir, vaciarme del sueño. Todo se tiñó de negro justo en el momento en que empecé a pensar en aquella tarde, en la escuela, cuando con una cuchilla me rajé la lengua. Mi compañera de pupitre me vio masticar la cuchilla, sangraba por las comisuras de los labios, entonces avisó al maestro. Corrieron conmigo al policlínico más cercano, me hicieron un enjuague de estómago, sangraba sin cesar de la herida en la lengua. En la casa, mami me preguntó qué había pasado, qué me había obligado a cometer semejante acto demencial. No recuerdo la respuesta que le di, y no pude recordarla, ahí mismo se me hizo un hueco hondo en la mente, caí rendida.

Dormí casi cuarenta y ocho horas. Desperté con la cabeza trastocada, el cuerpo pesado, dolores en las articulaciones, molesta porque me había retrasado en el trabajo. Estuve horas en que no supe de nada, nadie supo de mí. Horas perdidas sumidas en el sueño que me dejaban una extraña sensación de preámbulo hacia esa zona desconocida donde esperaba la muerte.

Recogí la correspondencia de debajo de la alfombra, delante de la puerta, donde me la dejaba la guardiana; plegables publicitarios, facturas a pagar, nada realmente agradable.

Sonó el timbre de la puerta. Era Hinojosa, preocupado por mi desaparición. Me hizo saber que sospechaba que yo estuviera drogándome. «Nada de eso —le repetí—, nada de eso.» Estaba perfectamente, sólo que un poco más triste que otros días, más sola.

—Y, no sé, se me ha metido en la cabeza sacar a mi madre del cementerio —solté sin pensarlo mucho.

—¿Y eso por qué? —Encendió un cigarrillo.

—Me da lástima con ella, la nieve cayéndole, la pobre, entre tantos muertos ajenos.

—Ella ya no está ahí, ella está en ti. Es muy incómodo guardar las cenizas de un ser querido dentro de la casa donde vives.

—No lo creo, nos haremos compañía. —Sonreí, sarcástica—. Te voy a pedir un favor. Fíjate, óyeme bien: en caso de que me pasara algo, preferiría la cremación, y te daré una tarea incómoda: que riegues las cenizas por las calles de París.

—¿No te gustaría que lo hiciera en las calles de La Habana?

—¡Ni loca! Prefiero que me meen y me caguen los perros y los gatos parisinos.

Rompimos el silencio con una carcajada.

—En La Habana quedan pocos perros y gatos, la gente se los comió en el período especial —bromeó el pintor.

No obstante nuestro intercambio humorístico, advertí que Hinojosa se despidió preocupado, inquieto a causa mía. Revisé la correspondencia, me extrañó recibir una carta del Nihilista. Estaba fechada dos años antes y la había timbrado desde un correo habanero para comprobar si las cartas llegaban con el tiempo requerido:

Yocandra:

Voy a enviarte esta carta, a ver si llega en el tiempo normal con que demora el correo de esta ciudad a la tuya. Nada ha cambiado como no sea para peor. Nada de lo que dejaste está en su lugar, porque todo se ha perdido. Los amigos partieron y no queda ninguno de los que tú y yo conocimos. Lo que queda aquí, analizado desde cualquier punto de vista, es rastrojo. Es cierto, existen excepciones, pero nada del otro mundo.

Estoy tratando de hablarte claro, sin ambages, sin dorarte la píldora. Esto ya es un desastre sin límites, nadie sirve para nada. Ninguna opción da esperanzas de nada. La única solución posible es coger una balsa y largarse lo más lejos posible, llegar a Miami y seguir remando bien lejos de los cubanos.

Yo sé que tú crees que todavía quedan cosas por hacer, que los de adentro y los de afuera deberíamos unirnos. Sí, eso sería lo ideal; pero no creo de ninguna manera que el cubano sea capaz de engrandecerse. La dictadura ha envilecido a todo el mundo. El odio es lo único que funciona al quilo, ah, y no olvidemos, la envidia, el rencor, la estupidez. Ahí somos especialistas.

Perdóname, he tenido un día jodido. Bien jodido. Se llevaron preso a un ambia *mío que no estaba en nada, más bien debieron cargar conmigo, pero a él le tenían echado el ojo, por pura envidia. La familia, desgarrada, ¿cómo quieres que estén? Dos niños pequeños, la mujer y la madre enloquecidas de dolor. Y nos enteramos de que lo han torturado, lo han golpeado, le abrieron heridas profundas a bayonetazo limpio, y tardaron en brindarle asistencia médica, con toda intención, claro. Lo embarcó un viejo que vive entre Cuba y Miami, un tal Marx Hernick, chivatón, recibe dinero a montones del Consejo de Estado, es un viejo verde que se tiñe el pelo, pendejón, protegido de los Castro. Ese viejo es una hiena.*

¿Para qué sirve la vida aquí? Pero, ahora, con este amigo preso...

Es una de las razones por las que dudo si irme o no, no podría abandonar esta familia, debo ocuparme de ellos, y de mi amigo. No le han hecho juicio y aun así está encarcelado. Nada aquí es seguro para nadie. En cualquier momento se hunde esta isla de mierda p'al carajo, *y te juro que sería mejor que eso ocurriera. El mundo nos ignora olímpicamente. Allá afuera tienen una deuda muy grande con los cubanos.*

Los cubanos, ¿qué hacemos? ¿Por qué no acabamos ya de una vez masivamente con esto? Sencillo, si intentamos algo, ellos nos exterminarán, los tanques saldrán a acabar con la gente, morirán miles de inocentes. Y nadie en el mundo se preocupará por nosotros. Ahora, si ocurriese lo contrario, supongamos que los norteamericanos invadan, entonces sí que ya veremos manifestaciones multitudinarias en contra de los Estados Unidos. Pero mientras que se pudo hacer algo por evitar la invasión no lo hicieron. Nadie hace nada en contra de la dictadura. ¿Dónde están las manifestaciones multitudinarias en apoyo al pueblo cubano?

Cerré la carta, mareada, no conseguí leer más. Al rato salí, me dirigí a un restaurante cercano; no tenía ganas de preparar nada en casa, y necesitaba tomar el aire gélido. Me senté en un *bistrot*, pedí una tortilla con finas hierbas, un vaso de leche y un café. Pasó un hombre que me gustó bastante; hacía tiempo que no tenía relaciones sexuales. Pensé que seguiría de largo, se detuvo en el menú estampado en el pizarrón y entró. Le dije *«bonjour»*, como si lo conociera, respondió a mi saludo visiblemente embarazado.

—¿Nos conocemos de alguna parte? —preguntó mientras esperaba su pedido desde la mesa contigua a la mía.

—No, no nos conocemos de nada. Sin embargo, le diré esto, me gustaría hacer el amor con usted, y por eso busqué un contacto inicial. —Seguí masticando mi tortilla como si hubiese dicho la cosa más normal del mundo, estaba exquisita.

—¿Hacer el amor? —Tosió suave—. ¿Ahora mismo? O sea, ¿dentro de un rato?

—Si no tiene inconvenientes, si no está apurado; vivo cerca, bastante cerca. —Seguí con las pupilas fijas en el contenido del plato.

—Nunca me habían hecho semejante propuesta... —Carraspeó.

—¿Yo le gusto? —Tampoco lo miré cuando le hice esta pregunta.

—Sí, *pas mal.*

—¿Cómo que no estoy mal? ¿Le gusto o no?

Asintió atemorizado, aunque sin duda alguna la aventura le fascinaba.

Al rato andábamos comprando condones en la farmacia cercana. En el apartamento fui al baño, me lavé los dientes, aseé mi cuerpo. Él hizo lo mismo. Regresó, nos besamos ardientes. Templamos dos veces durante lo que quedaba de día. Luego, por la noche, lo hicimos de nuevo. Tenía un pingón gordo, grueso, los muslos largos, las nalgas firmes, el torso blanco con pelos negros en el centro. Besaba rico, suave, delicioso. Se quedó a dormir. Al día siguiente partió temprano; a la oficina, me dijo. Era vendedor de casas, su agencia quedaba en la calle de Turenne. «¿Casado?», pregunté. «No, divorciado», y al igual que yo, hastiado de la soledad, aunque aún no de la vida.

Nos dimos cita nuevamente para la misma hora en el mismo *bistrot.* Me retrasé un poco, él estaba esperándome.

—Hoy serás tú quien vendrá a mi casa. Necesito cambiarme de traje.

Estuve de acuerdo.

Almorzamos juntos. Me dio su tarjeta con la dirección personal escrita al dorso, pero si yo lo prefería él podría ir a buscarme a la casa. No, le dije que llegaría alrededor de las nueve de la noche. Se llamaba Marco, era de origen italiano, había venido de pequeño a instalarse en París con su familia.

De buenas a primeras tenía deseos de vivir, de hacer cosas, de comprarme ropa nueva, de cortarme el pelo...

En su casa, casi me hizo un interrogatorio, indagó sobre mi vida sin rodeos. Tomamos el aperitivo y nos fuimos a un restaurante que él adoraba, Caruso. Extendió la servilleta blanca encima de una de sus rodillas y, mientras esperaba a que el camarero sirviera el champán, preguntó por mis proyectos futuros.

—Quiero sacar a mi madre del cementerio, llevarla de nuevo a casa.

El restaurante quedó en *stop motion*, todas las miradas se voltearon hacia mí. Intenté explicarlo más bajo:

—Es que, como hace tanto frío, me apena que esté enterrada en esa tumba de mármol.

—Ah, claro, es que, como no me habías dicho que tu madre había fallecido...

Hizo ademán de que entendía todo. Marco se expresaba exageradamente con gestos desmesurados, con la particularidad italiana de mover las manos y hacer piruetas en el aire con los brazos. Regresamos medio en nota a su apartamento.

Al día siguiente se levantó casi de madrugada y me dijo que podía tirar la puerta al salir. Nos dimos cita en el mismo lugar, el *bistrot*.

—¿Qué proyectos tienes tú? —averigüé en lo que comíamos algo.

—Quiero ser cantante, quiero ganar dinero y ser cantante.

—Eso es muy italiano.

—¿Ah, sí? —Se encogió de hombros—. Quiero ganar dinero, estudiar canto, irme a Estados Unidos y aprender bien el inglés.

Eran proyectos bastante disparatados, pensé. Por cierto, agregó, él podía ayudarme a sacar a mi madre del cementerio, se ofreció con toda naturalidad, como si mi madre fuera un búcaro al que había que desplazar de mueble; y anunció como si nada que ya tenía comprador para el panteón: él tomaría solamente el diez por ciento de la venta (yo no podía creer lo que estaba oyendo, Marco no perdía el tiempo, ya había hecho negocios con la tumba de mi madre).

Me limpié cuidadosamente los labios con la servilleta de tela; el agradable contacto con el tejido blanco de algodón ayudó a que me repusiera.

—He cambiado de parecer: mamá se quedará donde está. Veré a ver si la puedo cambiar en otro momento a un cementerio en Santa Clara. En Cuba, allí donde se hallan enterrados todos sus hermanos.

—Como quieras. —Pasó a otro tema—: Esta noche estrenan una película excelente. Cuando la estrenaron en Estados Unidos, leí la crítica por adelantado en el *New York Times*. ¿Vendrías?

Negué, aduciendo que necesitaba descansar. Al volver a casa, varias llamadas de los amigos franceses del Nihilista ocupaban espacio en el contestador, y otras de los cubanos del inmueble, que ya empezaban a repetir sus «fiestas de antaño», como las llamaba Marcela. No sentía ganas de festejar nada con nadie.

Dediqué mi tiempo a responder llamadas. Di con uno de los franceses, un periodista.

—¿No te has enterado? —preguntó, extrañado—. Liberarán a nuestro amigo, en unas horas. Saldrá de la cárcel directamente para Barajas, el aeropuerto de Madrid, ni siquiera podrá despedirse de su familia. Lo sacarán por un intercambio de esos entre políticos. Zapatero quiere ganarse puntos con los presos políticos cubanos, ¡qué tipo, éste! A los ojos del mundo quedará como el salvador de los presos políticos, y lo que hace es negociarlos ligeramente.

El periodista parecía bastante airado con el tema, pero mi cabeza ya estaba en otra parte: en una celda de castigo que se abría, en un prisionero arrastrado hacia un automóvil. El hombre era conducido a una casa de la policía secreta. Lo bañaban, lo atendían médicamente, lo vestían con ropas decentes. Al día siguiente tomaría un avión, dirección Madrid.

—¿Sabes cuándo llegará a Madrid? —atiné a preguntar.

—No sabemos mucho, pero parece ser que lo harán entre mañana o pasado. Piensas ir a recibirlo, supongo.

—Sí, me imagino que no le dejarán ver a nadie.

—No viajará solo: con él enviarán a otros dos presos. Pero ellos tienen amigos en España. Él no, dependerá de lo que decida el Gobierno español hacer con él.

—Iré a esperarlo, allí estaré.

Nos despedimos. Mis manos temblaban, el simpático me saltaba en vibraciones extrañas, como si un oleaje marino invadiera mi cuerpo. Hice mi maleta rápidamente, pedí un taxi, me fui al aeropuerto. Alquilé una habitación en un hotel junto a Orly, era muy tarde y no conseguiría reservar un billete a esa hora, por Internet, para el mismo día. Apenas dormí. Desde el ventanal podía advertir los aviones, hasta que cesó el tráfico. Antes de que recomenzara, ya estaba vestida y lista para partir. Llamé a Marco, le expliqué a medias, creo que también entendió a medias.

Compré el billete en el aeropuerto, dos horas de viaje. Aterricé en Madrid, contacté a una persona que se ocuparía del recibimiento, el teléfono me lo dio un periodista español amigo del francés al que telefoneé enseguida que pude sentarme en un café tranquilamente. No sabía exactamente en qué vuelo llegaría. Lo mejor, aconsejó, era que me sentara en la puerta de salida de los pasajeros de los aviones provenientes de La Habana. Así lo hice. Estaba tranquila, sumamente calmada después de encontrarme allí.

Estuve hasta muy tarde, hasta que llegó el último vuelo del día. El policía me pidió que me fuera a un hotel. Le expliqué la situación, pero muy amablemente me sugirió que mejor descansara, que ya hoy no se produciría el esperado encuentro; además, el aeropuerto cerraría en breve. Estuve toda la noche leyendo en un VIP revistas en francés.

Otra vez, Madonna hacía de las suyas en un concierto. Yo había terminado reconciliándome nuevamente con su imagen; desde cualquier ángulo es una gran artista, plena de contradicciones, pero que trabaja bestialmente, se arriesga, forma parte de los últimos artistas comprometidos, no es nada políticamente correcta, y eso me gustaba. Necesitaba vaciar mi pensamiento con esas lecturas.

De repente, una rana se subió a mi mesa, una ranita apenas visible. Me entretuve mirándola. Ella me fijaba los ojones. De chiquita adoraba a las ranas, y a las lagartijas. La rana saltó hacia otra mesa, nadie reparó en ella.

«Cuando regrese —me dije—, retornaré a mi escritura en español. Llevo tanto tiempo intentando hacerlo en francés; no sé si lo conseguiré alguna vez.»

Quise recordar los besos del Nihilista, pero sólo conseguía evocar los de Fidel Raúl y los de Marco.

Leí que otra vez un periodista, Mohammed Taha, fue decapitado por escribir un artículo sobre Mahoma; lo hallaron en los suburbios de Jartum, capital de Sudán.

La prensa recordaba que todavía sesenta periodistas y poetas cubanos se encontraban en las prisiones castristas desde el año 2003, que sus esposas, madres, hijas, hermanas, recorren una vez por semana las calles de La Habana, en marcha silenciosa y pacífica, piden su liberación. Sería estupendo si el cantante inglés Sting compusiera una canción para ellas, como hizo antes para las madres de la plaza de Mayo, en Argentina. La canción se llamaba *Ellas bailan solas.* Esta de las cubanas se podría llamar *Ellas marchan solas.* También dedicó una canción a los niños soviéticos, en la época de la guerra fría.

«Necesito un beso, nada más que eso, un beso de amor, intenso», me dije. Recordé a Marcela, cuando me pidió aquella noche que la besara, que durmiera con ella, que hacía años que nadie la trataba con ternura, que eso malo tenía exiliarse sin la familia, que eso era lo que más le faltaba, el cariño, la ternura de sus padres, de sus hermanos. Antes de echar una cabezada, me lo repetí dos, tres veces: «Necesito un beso.»

Antes del amanecer tomé un taxi y regresé al aeropuerto. El periodista estaba allí, se llamaba Emilio Prado López.

—No dormiste nada, ¿no? —Me palmeó la espalda al mismo tiempo.

Negué con la cabeza.

Nos reconocimos porque él lleva una foto de carnet del Nihilista enganchada con un alfiler en el bolsillo del abrigo. Yo llevaba el último libro de Guillermo Cabrera Infante.

Mi móvil empezó a vibrar. Respondí. Era Fidel Raúl. No pude decir nada, quedé muda, él habló de carrerilla:

—Yocandra, soy Fidel Raúl —lo reconocí al instante—, sé que te encontrarás con él, sé que estás ahora en Madrid, en el aeropuerto, esperándolo. No pierdo la esperanza de volver a verte. Porque seguramente un día volveremos a encontrarnos, en París, en Miami, en La Habana.

Apagué el teléfono, los ojos se me llenaron de lágrimas.

—¿Malas noticias? —preguntó Emilio.

Tuve que correr al baño. Cerré la tapa de la taza y me senté a llorar. Por todo, lloraba por todo, había acumulado tanto..., y ahora explotaba. Sollozaba por todos aquellos que vivieron en aquella nada cotidiana, y por los que ahora me acompañaban en este todo cotidiano. Por mami, pasando frío en un cementerio lleno de extraños, sola. Por Paul Mihanovich, encerrado durante años a causa de la guerra, por Migdalia, por Láynez, por Marcela, por Samuel, por Funchal, por Hinojosa, por la pianista rusa, que ahora intentaba aprender a tocar a Lecuona, y hasta escuchaba al Bárbaro del Ritmo, al gran

Benny Moré, por el inglés Holmes con su pipa, por los embriagados Talleyrand, y por los noruegos ex ecologistas, por Jessica, la argelina, por la Memé, con cien años en las costillas, sorda como una tapia, por el hijo de Migdalia, por Petro y Pliseskaya, por el Lince desaparecido, por el Traidor, lejano. Por el Nihilista, preso, y ahora expulsado al exilio. Por la Sabandija Cubana y por Fidel Raúl, y por toda esa mierda que es aquella isla nauseabunda, a la deriva, como en una novela de Reinaldo Arenas o como en aquella célebre película de Emir Kusturica, *Underground*. Una señora tocó a la puerta. Era la que limpiaba los baños, una inmigrante peruana; lo supe porque en seguida que me vio llorando pensó que yo era una ilegal con miedo a que me deportaran, e intentó calmarme.

—¿Tienes dinero? Puedo prestarte —añadió, y me puse peor. La abracé, y ella me pasaba la mano por la espalda. Fue a buscarme agua. Trajo además una silla, me echaba fresco con la mano—. ¿Te llamo al médico del aeropuerto?

La pobre señora no sabía qué hacer. Por fin pude hablarle. Le aseguré que no debía preocuparse, que había padecido un ataque emocional debido a que esperaba a alguien muy querido, alguien que llevaba tiempo preso en Cuba.

—Ay, hija, qué pena eso de Cuba, qué pérdida de tiempo, tantos años engañando al pueblo. Vaya tranquila, hija, todo saldrá bien.

Regresé junto a Emilio. El vuelo acababa de aterrizar, esperamos un rato. La prensa se concentró en la zona. Los políticos llegaron y se situaron en el borde de la pasarela, lo que confirmaba que los presos cubanos llegaban en ese vuelo. Así fue. Primero apareció un hombre demacrado, en una silla de ruedas, los ojos amarillos denotaban que sufría de una enfermedad del hígado, era un puro saco de huesos. Más atrás salió un hombre alto, canoso, extremadamente delgado también. Por fin vi aparecer al Nihilista, flaquísimo, los ojos verdes hundidos; avanzaba lentamente. Incluso cuando clavó sus ojos en los míos, la mirada era apagada, huidiza. Los flashes de los fotógrafos se dispararon. Una mujer les dio la bienvenida, con toda evidencia se trataba de una funcionaria del Gobierno. El Nihilista vino hacia mí, rompió el protocolo, y me abrazó. Me dio un beso en la mejilla, luego en los labios, un beso delicado, suave, duró unos segundos. Me atrajo hacia él.

—¿Ella es familia suya? —preguntó un hombre trajeado que hacía de guardaespaldas.

—Es mi mujer —respondió el Nihilista.

Lo enlacé por la cintura, él me pasó su brazo por encima de los hombros. Sentí su piel febril. Tosió, venía enfermo. Extrajo un sobre del bolsillo de su abrigo, de parte de mi primo Lorenzo, o Lorettica, como lo llamaba mi madre.

En el automóvil que nos conducía a la casa especial nos explicaron en qué sitio lo instalarían: en un apartamento dentro de un edificio custodiado por los gendarmes y vigilado por la policía secreta. El Nihilista me pidió aspirinas. Ardía de fiebre. Llegamos al apartamento y el amable señor que nos acompañaba preguntó si necesitaba algo.

—Creo que sí, aspirinas, y un médico, si fuera posible, si no es mucha molestia. —El Nihilista tosió en varias ocasiones.

Se sentía muy mal. Recostado en el sofá, temblaba

como una hoja. Lo tapé con un edredón que había en el cuarto. Sentada frente a él, pregunté qué le sucedía, que describiera los síntomas.

—Nada, me duele la espalda. Y todo esto es tan raro... Madrid parece una ciudad bonita... Pero de pronto me doy cuenta de que me han expulsado de mi país, que no tengo ya vuelta atrás, que no podré ver a mi familia, que ni siquiera pude despedirme de ella; no me dieron esa posibilidad, he caído en una trampa. Nunca acepté la reeducación en la cárcel, nunca... Tal vez por eso me eligieron para que viniera a España definitivamente. No debí haber aceptado, no, nunca...

Cerró los ojos, las mejillas enrojecidas, le vino un acceso de tos muy fuerte. Yo acababa de entender por qué lo habían liberado. El Nihilista se encontraba seriamente enfermo, y los de allá debían impedir que se les muriera en la cárcel. Mejor entonces que la desgracia ocurriera en Madrid.

El guardia llamó a un médico desde su móvil. No tardaría ni media hora en presentarse, anunció después de que cortó la comunicación.

EL EXILIO SINCERO

Un mes justo fue el tiempo que nos permitieron permanecer en aquel apartamento madrileño. Durante ese mes sólo salíamos de casa a las consultas del médico. Los análisis dieron como resultado que el Nihilista estaba tuberculoso; en la cárcel, probablemente en una de las visitas a la enfermería, le habían inoculado la enfermedad, o la había adquirido en la celda de castigo, que era un cubículo de piedra, por las paredes corría agua el día entero. El espacio era tan reducido que los presos debían dormir parados, o agachados, pegados a las paredes húmedas, constantemente con los pies en el agua. «Una tumba inundada», fue la descripción del Nihilista.

El doctor le proveyó al Nihilista de un tratamiento rápido y efectivo. Necesitaba reposo y buena alimentación. Yo seguí trabajando con los diarios a través de Internet, ¡bendito Internet! El Nihilista mejoró bastante, y en cuanto pudimos alquilamos un apartamento en Madrid, en la calle Maldonados, cerca de La Latina. Sin embargo, había un problema: la libertad no había sido concedida totalmente, se trataba de una licencia extrapenal, por problemas de salud, y ese estatus le impedía sentirse realmente libre, como era lógico.

Una tarde llegué de la calle, de haber ido a comprar al supermercado, y me encontré al Nihilista sumamente encolerizado. Una persona del Gobierno lo había venido a visitar y le ordenaba, casi, que no diera ninguna entrevista en contra de la revolución (usó esa palabra), que se quedara callado, porque, con toda seguridad, con esa actitud resolvería más pronto su situación, y le regularizarían su documentación.

La persona dejó una tarjeta, un nombre, un teléfono, nada más.

Llamé.

—Señor Miguel Gómez Brant, soy la mujer de César Figueroa Richard. ¿No cree usted que es injusto lo que acaba de proponerle a mi marido?

—Señora, no sé quién es usted, ni de qué me habla. Buenas tardes. —Cortó la comunicación.

—César —pregunté al Nihilista—, ¿por qué no nos vamos a París?

—Porque quiero vivir con la verdad, ser sincero, no huir de nadie, aparte de que necesito mi documentación en regla... Y curarme del todo.

—Allá hay buenos médicos, y podemos seguir viniendo a Madrid a ver al doctor Guedes. No creo que haya problemas con eso. Estaremos a sólo dos horas de aquí.

Nos quedamos tres meses más. Nunca el tal Miguel Gómez Brant lo volvió a contactar, y después de las primeras entrevistas, la prensa olvidó que el Nihilista y los demás presos existían.

Íbamos a diario al parque del Retiro a pasear, a tomar el sol, a respirar. Pero el Nihilista extrañaba el mar.

—Por eso me gustaría que vinieras conmigo a París.

—Yocandra, en París no hay mar, hay río.

—Claro que lo sé, pero estaremos a solo dos horas de Normandía.

Se quedó pensativo, casi entusiasmado con la idea.

Nos mudamos a París en verano.

Hacía un sol espléndido, y París vestía sus mejores galas, las sonrisas de los veraneantes y los arranques eufóricos de los que como nosotros jamás partían de vacaciones en los meses de mejor clima. En el edificio de la rue de Beautreillis nos habían preparado una fiesta aspaventosa; confieso que me lo esperaba, ya que una semana antes había avisado a Marcela de nuestro regreso, y sabía que ella no se quedaría tranquila. Se encontraban todos los vecinos y amigos del barrio. El Nihilista fue aplaudido y vitoreado. Migdalia lo abrazó y declaró bajito:

—Me recuerdas a mi hijo. —Los ojos llenos de lágrimas.

Pero no hubo tiempo para drama. La Memé pidió que pusieran la música, aunque ella era sorda, le aclaró al agasajado, que no entendía lo que la anciana le decía pero le sonreía respetuoso.

—Soy sorda, pero me gusta ver a los cubanos bailar —subrayó la Memé.

Funchal e Hinojosa salieron con el Nihilista un momento a enseñarle las callecitas del barrio, en lo que sacaban a pasear al nuevo perro de los Talleyrand, un dálmata, al que bautizaron como *Revolución*, creyendo que a los cubanos les gustaría semejante palabra. Los cubanos hicieron no sé cuántas reuniones para convencer a los Talleyrand de que debían cambiarle el nombre al animal, pero demoraron tanto en el devaneo que decidieron que ponerle *Revolución* a un perro no estaba nada mal: rebajaba bastante el concepto.

—Sí, pero no es cualquier perro, es un perro fino, de raza, un dálmata —protestó el Nihilista mientras caminaban por la calle Neuve Saint-Pierre.

—Figúrate, no pudimos hacer nada. Al pobre perro, cuando nos sentimos contentos, lo tratamos bien, pero cuando nos entra la blandenguería de la nostalgia y nos ponemos cabrones, le metemos cada grito que no se ha quedado sordo de milagro...

Funchal encendió un cigarrillo.

—No fumes, compadre, que éste tiene los pulmones en candela —protestó Hinojosa.

Funchal aplastó el cigarrillo con el botín.

—Díganme algo, ¿por qué los cubanos son tan poco serios con el exilio? ¿Por qué no somos sinceros y nos ponemos todos a combatir aquello, unidos?

—Asere, ¿desde cuándo tú has visto a un cubano serio? —Funchal estaba harto de escuchar lo mismo.

—Hay muchos cubanos serios, sinceros, que no aguantan más aquel espanto —continuó el Nihilista.

—¿Y dónde están? —preguntó Hinojosa, conociendo la respuesta—. En la cárcel o, por el contrario, marginados, o exiliados. Y aquí, en el exilio, si te pones a comer mierda y a condenar el castrismo, te pasa igual que en Cuba, te quitan el trabajo, pierdes la galería o la editorial... Y eso lo entendieron los pintores que viven allá, y los escritores que viven la mitad del año allá y la mitad en el extranjero, y que han pactado con la dictadura. Y es así como han ido planchando a los artistas y escritores del exilio, y no nos dan un chance... Porque mientras más revolucionario eres, mejor te tratan los sapingos de acá.

—El colmo es que el otro día fui a buscar un aparato de asma a la farmacia y, como no llevaba la receta, no quisieron vendérmelo. Pero como iba con el perro, y antes de irme el perro quiso comerse un paquete de algodón y le grité: «*Revolución,* deja eso, deja eso, ven aquí, *Revolución*», el boticario me preguntó de dónde era, le respondí que cubano, y me preguntó si regresaba a Cuba. Reflexioné dos segundos: «Claro que sí», contesté con una sonrisa de oreja a oreja. Y me regaló el aparato del asma, asere. ¿Cómo tú entiendes eso? Claro, ahora siempre que puedo le tumbo el medicamento, pero me tengo que sonar al boticario, que le ha dado por evocar los discursos de Fidel, ¡la mayoría se los sabe de memoria! ¡En español!

Hinojosa manoteaba en plena calle, sin poder creer aún lo que a él mismo le había acontecido en una farmacia parisina.

Eso y más me contó el Nihilista esa noche de su conversación con mis dos amigos pintores. La fiesta terminó tarde, y después de que ayudé a recoger el reguero, subimos a nuestro apartamento.

A la mañana siguiente, Monsieur y Madame Lapin tocaron a la puerta, muy temprano. Ella nos había preparado un pudín de calabaza, receta que le había enseñado Pliseskaya, y él quiso brindarle un buen abrigo al Nihilista. Su hijo se lo acababa de regalar por Navidades, pero él ya poseía muchos y muy buenos abrigos. Prefería que el Nihilista lo estrenara, para él sería un honor.

No podíamos aceptarlo, pero insistieron tanto que, finalmente, lo cogimos. El Nihilista se veía muy elegante con aquel abrigo italiano, de cachemira pura, que le llegaba hasta más abajo de las rodillas.

Hacia el mediodía nos fuimos a almorzar al *bistrot* donde había conocido a Marco. Y, como sospeché, allí se encontraba él. Consultaba su portable. Junto al italiano parloteaba una mujer muy elegante, de cuerpo excesivamente delgado, altísima, plana de pecho y de nalgas. Marco me saludó de lejos, le correspondí con un movimiento de cabeza. La mujer ni se enteró de que nos saludábamos.

—¿Conoces a ese tipo? —preguntó el Nihilista.

—Sí, es un vecino del barrio, agente inmobiliario, aspirante a cantante. En cualquier momento lo veremos en uno de esos programas de la televisión: «Star Académie» o «American Idol». Más bien el segundo, si consigue viajar a Estados Unidos. Es su sueño.

—¿Cómo puede ser un sueño asistir a uno de esos programas? Qué raro es el mundo —suspiró el Nihilista.

—¿Por qué raro?

—No me esperaba para nada que el mundo fuera de este modo. —Sus ojos vagaron a través del cristal, estudiaron el movimiento de la calle.

—¿Cómo te lo imaginabas?

—Más claro, menos turbio. No, «turbio» no es la palabra. Menos confundido.

—¿No serás tú el confundido?

—Es posible... —Rastreó en el plato con el tenedor y se llevó con desgano un bocado a los labios.

Después de comer decidimos visitar el Museo Carnavalet. Fui yo quien insistió. No le dije al Nihilista que deseaba darle una sorpresa, enseñarle la habitación de Marcel Proust, reproducida tal cual, con los objetos auténticos que habitaron en ella. La cama donde escribió y culminó su obra mayor, *En busca del tiempo perdido*, el bastón, la comadrita, las mesitas de noche, el corcho de las paredes. Entramos en el museo. El Nihilista se emocionaba con cada pieza, con el más mínimo retrato. Cuando llegamos al lugar pensé que le iba a dar un infarto, se puso pálido, casi cayó al piso; recuperado, iba registrando cada detalle con las pupilas ávidas, quiso que le hiciera una foto para mandársela a un escritor amigo suyo, holguinero, añadió.

Advertí que al Nihilista le sucedía lo mismo que a todos: al inicio del exilio, siempre que veíamos algo que nos agradaba, o que comíamos algún alimento sabroso, novedoso, o nos llamaba la atención el más mínimo detalle, la más pequeña aventura, cualquier cosa nos recordaba a la gente que había quedado allá, en la isla, atrapada en el tiempo.

—¿Tienes pesadillas con Castro? —pregunté.

—¿Por qué me lo preguntas? Ya sé que eres medio vidente, pero de ahí a adivinarme las pesadillas...

—Es normal, a todos nos ha sucedido.

—Ayer mismo tuve una, veía mi casa llena de policías, y mi madre lloraba. Y Fidel y Raúl en persona acudían para meternos miedo, y lo lograban.

—Perdona que te hable de esto. Sabes que Fidel Raúl, el mentiroso...

—Sé, sé perfectamente de quién me hablas, no lo he olvidado.

—Está en Miami, como exiliado. Ha dado entrevistas donde me ha pedido perdón y ha contado todo lo que hizo como espía.

—¿Y tú le crees? ¿Crees que ha contado todo? —Su rostro se ensombreció.

—Claro que no —hice una pausa—. El día que estaba esperándote en el aeropuerto me contactó a través del móvil.

—Ese tipo es un chivatiente, un colaboracionista, un traidor, un descarado, un oportunista. Espero no encontrármelo nunca, porque no sé qué haría si lo tuviera delante. Pero ¿por qué piensas que te llamó? ¿Y tú qué le dijiste?

—¿Qué le iba a decir? Nada. Le colgué. —Hice una pausa—. Lo que nos ha tocado es terrible. Y estoy segura de que, si mañana llegamos a Miami, y alertamos sobre este personaje...

—Le creerán más a él que a mí —interrumpió el Nihilista—. En primer lugar, porque yo me comporto, para mucha gente, como un extremista. Por el simple hecho de no darle ninguna credibilidad al régimen de Castro y, además, porque a nadie le interesa un preso político enfermo. No vende a las televisoras, mi historia no será fácil de conducirla al espectáculo...

—Mientras que a un ex espía, convertido a exiliado, todo el mundo quiere verlo, es casi un héroe... —Bajé los ojos, me miré las manos, demasiado pálidas.

—Mira, lo peor ya está pasando, ya no nos puede ocurrir nada más. Los mismos que eran los verdugos allá llegan a Miami y vuelven a ser héroes, pero al revés. Por eso te digo: vivimos en un mundo demasiado incongruente.

Me tomó las manos, las acarició lentamente. Hacía tiempo que nadie se detenía tanto en mis manos.

—Mírame de frente —dijo. Obedecí—. Te has vuelto silenciosa, y tu mirada es de una tristeza estremecedora. Cuando te conocí nos reíamos casi todo el tiempo, el cinismo ayudaba, creo yo. Tú andabas con aquel otro traidor. Por cierto, ¿qué te pasa con los traidores? Siempre das con uno, tienes suerte para ellos. Menos yo, casi todos han sido...

—Traidores. —Volví a cambiar la vista, la fijé en la calle—. No, sólo dos; me he tropezado con sólo dos traidores en mi vida.

—Para una vida es bastante.

Nos reímos.

—¿Por qué no nos vamos al mar? A Normandía. Te prometí que te llevaría y aún no he cumplido mi promesa.

—Cuando quieras.

—Mañana mismo. —Toqué su cara, dejé mi mano reposada un rato sobre su mejilla.

Alquilamos un auto, conduje dos horas y media hacia Trouville. Dimos una vuelta por el pueblecito. El Nihilista se quedaba encantado con todas aquellas casitas frente al río que llevaba al mar. Retomamos el vehículo y nos dirigimos a Deauville. El hotel, frente al mar, estaba lleno de verancantes. Nos cambiamos de ropa, nos pusimos las trusas y bajamos a la piscina, pero al rato, el Nihilista quiso caminar por el borde de la playa.

Nos dejamos los trajes de baño y nos vestimos con ropa ligera, bajamos a la playa. La arena limpísima, de un color crema, el mar espumoso, la luz tenue, el sol brillante, pero sin quemar demasiado, constituían un espectáculo apacible. En la playa, las familias reunidas con los hijos disfrutaban de las vacaciones.

—Hacía tiempo que no veía a tantas familias felices.

—Bueno, esto es Deauville, pocas personas de las que vienen aquí deben enfrentar problemas económicos serios...

—Oye, detente, no me vengas con la muela ñángara de que aquí también hay problemas y de que el capitalismo es malo. Yo sé todo eso, no soy bruto, ni tonto, pero déjame disfrutar de algo que no veo desde hace muchos años; es más, de algo que no vi nunca en mi país.

Podía entenderlo, sabía lo que me estaba queriendo explicar. Enmudecí.

El Nihilista se quitó la camiseta y la bermuda, descalzó sus pies. El dedo del medio más largo que los demás, un pie griego. Sonreí para mí.

—¿Me acompañas a darme un chapuzón?

—Esa agua está muy fría.

—No seas pendeja, chica, vamos. Además, es verano, no puede estar tan fría.

—Espera, ve tú delante, yo te sigo.

El Nihilista avanzó hacia el mar, que ahora se retiraba más lejos, el agua se iba recogiendo poco a poco, las gaviotas sobrevolaban bajo, y picoteaban en la arena, sobrevolaban y parecía que jugaban con los bañistas. Saqué la cámara, hice una foto del Nihilista rodeado de gaviotas, de niños correteando a su alrededor.

Su figura fue empequeñeciendo, hasta que con los pies le tomó la temperatura al agua; entonces dio un cómico salto hacia atrás, me hizo señas de que fuera con él, allá.

Mientras acudía a su encuentro, a nadar tranquilamente en aquellas aguas densamente azules, tan distintas de las cristalinas, verdes esmeralda, aguas del Caribe, pensé cuántas historias guardaban aquellas playas, las del desembarco de soldados norteamericanos, definitivo para la liberación y la victoria de la segunda guerra mundial.

Deberíamos conservar presentes con mayor frecuencia los momentos históricos que hicieron grande a la humanidad. Esos momentos se alejan cada vez más de nuestras vidas, de nuestra cotidianeidad, invadidos como estamos de falsa información, de frivolidades, y de tonterías de todo tipo. Los recuerdos esenciales son también ésos, la historia y sus triunfos, ganados a pulso, batalla tras batalla, vida a vida. Pero esos recuerdos se han ido perdiendo, son humo remoto, se han ido retirando de nuestra rutina, semejantes a esas olas que cada vez cuesta más llegar a ellas. El Nihilista nada con brazadas acompasadas, e incluso así, a distancia, puedo respirar su felicidad. Es momentánea, no durará demasiado, pero al menos sé que ahora, en este instante, sólo está concentrado en bracear el oleaje y en ser feliz.

Intento imaginar cómo será el futuro, qué buenas noticias nos esperan dentro de unos días, no deseo detenerme en los malos presagios. Prefiero regodearme en la posibilidad de vivir en paz, sin el desasosiego de hallarnos tan lejos de lo de uno, de lo nuestro, de no poder conversar con la Gusana siempre que quisiera, de haber perdido amistades por el camino, de que se murieran mis padres sin poder experimentar el regreso.

«El exiliado que no regresa a su hogar se convierte en una figura grotesca, en un santo estilita que se acuclilla en lo alto y espera que los cuervos le traigan comida», escribió Sándor Márai, y aunque no suscribo en absoluto ese párrafo, y rechazo esa definición tan dolorosa del exiliado, no puedo negar que me atemoriza leer el concepto, escrito de manera tan decisiva. Él no volvió, se metió un balazo en la boca, un día antes de que cayera el Muro de Berlín, o a pocos días, no estoy segura.

Estoy acercándome a César. ¿Por qué siempre lo he llamado el Nihilista? No tiene nada que ver con un nihilista, pero hace tiempo sus amigos lo bautizamos con ese nombre, porque cuando lo conocí ya era un disidente, un cineasta que hacía películas *underground*. Estuvo primero en la disidencia artística, más tarde en la oposición política, a lo duro. Pero jamás fue un hombre violento. César es un hombre de paz. César Figueroa Richard sólo quería la libertad para su país, porque ama su país, y por eso estuvo preso, al borde de la muerte. Por eso lo obligaron a exiliarse.

No es mi caso. Yo soy balsera, deliberadamente. Un día me cansé de todo y me largué. Dejé lo que más quería en aquella isla nauseabunda, a mis padres, al hombre de mi vida. Mi padre murió sin que pudiera volver a verlo. Mi madre está enterrada en un cementerio lleno de muertos ajenos, ella ni siquiera supo de dónde venían, quiénes eran. ¿Qué importa eso? La vida es eso, fragmentos de recuerdos recios, penetrantes, y de instantes felices. Como éstos, en que cada vez distingo mejor a César zambullirse y reaparecer mojado, luminoso, bajo ese tenue sol. No sé cómo pude dejar a los míos y echarme al mar. Es la razón por la que siempre que voy a entrar en el mar me entra un extraño cosquilleo interior, como si volviera otra vez a abandonarlo todo, sin mirar atrás. Entonces vuelvo a escuchar voces, las voces de la gente que se fueron muriendo en la balsa, los que se quedaron reguindados hasta el último minuto, y que tuve que zafarlos, para que los tiburones no repararan en el olor a muerto y no atacaran a los sobrevivientes. Gente totalmente enloquecida, gente que llegó con ganas de morirse; gritábamos para poder convencernos de que vivíamos. Caí en la arena remaldecida, no quería vivir, los otros corrieron a buscar ayuda. A ellos les quedaban fuerzas, las pocas que me quedaban a mí sólo deseaba emplearlas en dispararme un tiro en la boca. Llegué a la orilla de Miami convencida de que aquel viaje no tenía ningún sentido, que habíamos arriesgado la vida de niños y de gente que pensaban llegar, a lo como fuera, a lo como diera lugar. Varios de ellos confiaban en que su familia en Miami los esperaban; incluso ya tenían palabreados puestos de trabajo para sus parientes, ya estaban ubicados, creían que habían salido con el pie derecho, que la suerte los acompañaba, apretaban sus santos en la bolsa que cargaban, aferrados a ella como se aferraron al borde de la embarcación cuando las olas los arrancaron de la misma.

«¡Métele con el remo, métele con el remo en la cabeza! ¡Si sigue enganchada de la balsa, nos va a hundir!», me ordenaba a gritos el improvisado capitán. Yo no podía rematar a la persona que me había dado su último buche de agua, que se quitó su agua para dármela a mí, impidiendo de ese modo que yo me deshidratara. Pero cuando el mar se encrespó batido por la tormenta, a ella se le ocurrió ir a orinar a una esquina de la balsa para que los hombres no la vieran. Por más que le grite que se meara en el pantalón, ella insistió en que no, que prefería llegar limpia a Miami. Y en eso el mar dijo aquí estoy yo, y una ola gigantesca devoró a Anisia. Pero ella se había quitado el cinto que llevaba a la cadera, y mientras hacía pipi se lo había enrollado al cuello, y cuando la ola tiró de ella, la hebilla del cinto quedó enganchada de una quilla de madera y el jalón la desnucó, y nadie se atrevía a cortar el cinto, y el cadáver de Anisia fue arrastrado por la corriente, cada vez más violenta, pero atada al borde de la balsa, que se inclinaba más del lado de ella, amenazando con hundirse. Comprendí la situación y traté de desamarrar la hebilla con la punta del remo, pero el excesivo movimiento del barco no permitía que lo consiguiera. Finalmente, otro golpe de ola partió el cinto y Anisia se hundió, tragada por la tormenta.

Puse los pies en el agua, un espasmo recorrió mi cuerpo. César acudió a buscarme. No quise que me tocara con su cuerpo mojado, corrí por la orilla, él detrás. Era fácil alcanzarme, deseaba que lo hiciera. Me cayó encima, tumbados en el oleaje nos besamos.

—¿A que no adivinas en lo que yo estaba pensando mientras nadaba? —susurró.

Me encogí de hombros.

—No tengo la menor idea.

—Pensaba que un día seremos viejos, y me gustaría volver a esta playa contigo y comentar el pasado, todo lo que hemos vivido. Tal vez no sea en esta playa, quizá sea en otra, en Cuba, allá, libres...

—¿Regresarías? —pregunté.

El sol me daba de frente, él se movió y tapó el resplandor con su sombra. Pude distinguir mejor la transparencia de su mirada. Asintió y volvió a besarme.

—Por supuesto que sí.

—¿Conoces el poema de Cavafis donde dice que nunca se vuelve a la Ítaca que dejaste?

—Conozco el poema de Cavafis, no lo he olvidado; pues, mira, te advierto, pese al poema de Cavafis, que aprecio enormemente, creo que tendríamos que regresar cuando aquello se haya acabado.

Nos incorporamos, entramos en el agua despacio. Cerré los ojos fuertemente, él me abrazó. Presentí que comprendía todo lo que pasaba por mi mente en el preciso momento en que me disponía a nadar.

—No es nada, sólo al principio. Le cogí fobia al mar. Ahora sólo me lleno de pavor cuando me sumerjo, pero ocurre en los primeros minutos. Eres el único que te has dado cuenta. Ni siquiera la Gusana se ha percatado en lo más mínimo.

—Me gustaría mucho ver a la Gusana. Tantos años separados...

—Sigue igualita, y te recuerda con cariño.

Conversamos, mientras el agua nos daba al cuello, abrazados. Inmersos en el océano contemplábamos desde allí a la gente en la playa: los niños correteaban detrás de una pelota en la arena, pateaban el balón; las mujeres extendían los manteles y preparaban el almuerzo; los maridos leían los diarios en las tumbonas. Nadamos un rato más.

Regresamos a la arena. Saqué los libros que siempre releo; son pocos.

—«Un escritor joven afirma con entusiasmo que ha encontrado el "gran tema", asegura que sabe sobre qué escribirá. Aún no ha descubierto que ese "gran tema" no existe. Lo realmente arduo no es saber sobre qué escribir, sino saber, de una vez y para siempre, cómo escribir... Hoy en día, en el mundo literario quedan pocos caballeros: casi todos quieren aparentar más de lo que son y apropiarse de lo que no es suyo» —leí en voz alta.

César meditaba acostado boca arriba, directamente en la arena, los ojos cerrados. Abrió un ojo para enfocar la carátula del libro.

—*Diarios 1984-1989*, Sándor Márai. Veo que no lo sueltas.

Volvió a cerrar los ojos y seguí leyendo en voz alta. Le gustaba que le leyera, dijo. La brisa se llevaba mis palabras y las mezclaba con las exclamaciones de los adolescentes, que correteaban y jugaban en la arena a lanzarse el *frisby*.

César se quedó dormido. Su respiración acompasada hizo que lo observara detenidamente, alelada. Coloqué el libro dentro de la bolsa.

Entonces intenté nuevamente predecir cómo acogeríamos la noticia, apreté los párpados: «Fidel Castro acaba de morir», imaginé que veía y escuchaba en las pantallas de los televisores. ¿Cuánto nos quedaría? ¿Hasta cuándo la retahíla, la misma candanga? Abrí los ojos. Por lo pronto, Barack Obama había sido investido presidente. ¿Qué cambiará en nuestras vidas? Poco, el daño que nos hizo el primero está hecho, y es irreversible. El segundo tiene frente a él un breve camino para recomponer Estados Unidos, y el mundo, junto con los demás.

Alrededor de las cinco, Yocandra recogió los pliegos, bien ordenados, y se dirigió a la puerta carmelita. Tocó con los nudillos y desde dentro una voz en francés dio luz verde para que entrara. Obedeció, la claridad del sol de la tarde se colaba por las persianas, entrecerradas, una cortina color marfil amortizaba los últimos estertores de la luz diurna.

El hombre la invitó a que se sentara frente a él. Un hermoso escritorio de caoba se interponía entre ambos, encima la pulcritud y el orden reinaban. El hombre era corpulento, vestía un traje azul de Prusia. Se sabía apuesto y todos los movimientos y modales los ponía en función de su seductora apariencia. Extrajo un cuaderno y se dispuso a anotar en la página en blanco.

La mirada de la mujer merodeó por el espacio; conocía de memoria cada estante, cada libro, cada cuadro, cada objeto.

El hombre carraspeó para llamar la atención.

—¿Cómo te ha ido, Yocandra?

—Perfectamente.

—Según me has dicho al teléfono, has terminado tu libro.

—Lo he terminado, así es.

—Sabes que no será fácil publicarlo.

—Lo sé. Pero agradecería mucho que usted lo leyera. Me daría una gran seguridad.

—¿Por qué?

—Porque es usted en quien confío.

—¿Qué estás leyendo?

—Lo mismo, los libros de toda la vida.

Asintió. No apartaba la mirada de la mujer. Ella tampoco rehuía la de él.

—¿Cuánto tiempo llevas escribiendo esta historia?

—No recuerdo, pero ¿es eso importante?

—No, en efecto, no lo es.

—¿Te interesa llevarte algún libro de la casa?

—No, con los que tengo me basta, pero si usted me recomendara alguno lo leería con entusiasmo.

—¿Duermes bien o necesitas...?

—Duermo mal, pero me he acostumbrado, no necesito nada, gracias. Oigo voces.

—¿Qué te dicen?

Ella señaló con el índice el montón de páginas recogidas encima del escritorio.

—Están ahí.

El hombre quedó en silencio un breve espacio de tiempo.

—¿Podrías contarme la historia? Es necesario que yo compruebe que por fin has logrado manejarte bien, que te concentras, que, en definitiva, has hecho progresos.

—Todo está escrito.

—Hazme una sinopsis, por favor —suavizó el tono de la voz.

—No sabría hacerlo... ¿Publicará la novela o no? —Yocandra empezó a impacientarse, a retortillarse en el butacón de cuero.

—Deja que la lea primero pero, antes, te ruego que me hagas un resumen.

El hombre revisó las páginas hojeándolas a la carrera. Trescientas y pico páginas en blanco; fingió que no se había dado cuenta.

—Buen trabajo, te felicito por el esfuerzo. ¿Puedes contarme la historia? —persistió.

—«París era una rumba, no una fiesta» —balbució la mujer—. Es que no me acuerdo de nada más...

—Sí, claro que te acordarás.

—«Ella huyó de Aquella Isla... —susurró vacilante—. Una isla que quiso construir el paraíso y creó el infierno.»

—Continúa, Yocandra, vas bien. —El hombre garrapateó los nombres de nuevos medicamentos en una receta.

La mujer cerró los párpados y se puso a contar, a narrar, a escribir... Con la imaginación vagaba por los más recónditos resquicios de su memoria. El hombre entreabrió una gaveta cuidadosamente, manipuló un pequeño aparato en el interior, con sumo cuidado, sin que Yocandra percibiera que hasta la más mínima inflexión de su voz, y de su respiración, serían grabadas.

París, febrero de 2010